The stories of the Kosoado Woods

森のなかの海賊船

岡田 淳

理論社

物語《ものがたり》にでてくるひとたち

スキッパー

いっしょにすんでいる博物学者《はくぶつがくしゃ》のバーバさんは しょっちゅう旅《たび》にでるので、ひとりでくらすことがおおい。

家《いえ》は、ずんぐりした船《ふね》に とげのいっぱいあるウニをのせたような形《かたち》をしていて、ウニマルとよばれている。

ふたご

湖《みずうみ》の島《しま》にある巻貝《まきがい》のような家《いえ》にすんでいる。ふたりはほとんどあそんでくらしている。たべるものといえば、おやつみたいなものばかり。

ポットさん と トマトさん

湯《ゆ》わかしの形《かたち》の家《いえ》にすんでいる。

奥《おく》さんのトマトさんはだんなさんのポットさんにほっぺたにキスされるのがすきだが、トマトさんがすわっていないときはそのたびにポットさんはなにかによじのぼらなければならない。

トワイエさん

作家《さっか》だが、すらすらとは しゃべらない。大きな木の上の 屋《や》根《ね》裏《うら》部《べ》屋《や》に すんでいる。
家《いえ》のまわりは、春《はる》は緑《みどり》の におい、夏《なつ》は葉《は》をゆらす風《かぜ》、冬《ふゆ》は枝《えだ》ごしのけしき、秋《あき》は 色《いろ》づく葉《は》と、 かなりすてきだ。

ギーコさん

大工《だいく》さん。
ふだんは ことばかずが すくない。

スミレさん

ギーコさんの お姉《ねえ》さん。
丘《おか》のふもとの ガラスびんの家《いえ》に、ギーコさんと いっしょに すんでいる。

ナルホド と マサカ

ふたりぐみの笛《ふえ》ふき。くらしに 必要《ひつよう》なものを 荷車《にぐるま》につみこんで 旅《たび》をしている。

もくじ

絵◆岡田　淳

1

『海賊《かいぞく》物語』をもういちど

森の湖《みずうみ》には、オレンジ色や黄色に紅葉《こうよう》した岸《きし》の木々《きぎ》がうつっています。秋の午後《ごご》、すみきった高い空ときもちのいい風、ヨットに乗るには最高《さいこう》の日です。湖《みずうみ》のまんなかには、小さなヨットがひとつ浮《う》かんでいました。乗っているのはスキッパーとふたごの女の子たちです。

スキッパーはこの夏にふたごにさそわれて、はじめてヨットに乗りました。それ以来《いらい》、すっかりヨットが好《す》きになってしまったのです。いまではときどき舵《かじ》をにぎらせてもらいます。そうじゅうのしかたは、ふたりに教えてもらったのです。ふたごのひっきりなしのおしゃべりは苦手《にがて》ですが、舵《かじ》と帆《ほ》をあやつって風をうまくとらえ、船が水をおしわけて進《すす》んでいくのは、ほかではあじわえないたのしみでした。

いまもスキッパーが舵《かじ》をにぎっているところです。ふたごはといえば、さっきからずっとスキッパーのヨットの腕前《うでまえ》についていて話していました。舵《かじ》のひきかたとかロープの出しかたについてです。

「スキッパーは、ほんとにじょうずになった」

へさきにすわっているほうがいうと、まんなかにすわっているほうもうなずきました。

「わたしたちの教えかたがじょうずだった」

だまってきいていたスキッパーの耳が、ぴくりと動きました。

「なにかきこえる」

ろくに耳をすましもしないでふたごがいいました。

「なにもきこえない」

「全然《ぜんぜん》きこえない」

スキッパーのいい耳は、水をおしわける音とかすかなあわだちの音にまざって、たしかに別《べつ》の音をきいていました。笛《ふえ》の音のようでした。

スキッパーはすこし船のむきを変《か》えました。音のきこえてくる岸《きし》のほうへ近《ちか》よることにしたのです。それは、ふたごの家がある島とは、ちょうど反対《はんたい》がわの岸《きし》でした。

ふたごは、いまのスキッパーの船のむきの変《か》えかたについて、よかったところとわるかったところを話しはじめました。そのおしゃべりがとつぜんとまったのは、だいぶ岸《きし》に近《ちか》づいたときです。

「なにかきこえる」

「たしかにきこえる」

船の前方《ぜんぽう》をふたごがみようとしたので、ヨットがすこしゆれました。

「笛《ふえ》の音みたい」

「笛《ふえ》といえば」ふたごは顔をみあわせて、同時《どうじ》にいいました。「ナルホドさんと、マサカさん！」

スキッパーは、さっきからそう思っていたのです。

やがて、岸《きし》につきでた岩《いわ》のうえにすわった、ふたりの姿《すがた》がみえはじめました。

「あのふたりには」スキッパーがいいました。「去年《きょねん》の冬、雪の森で、助《たす》けられたんだ」

「しってる。いちどだけ、あった」

「そう、笛吹《ふえふ》きっていってた」

「でも、あのひとたち、あやしい」

「そう、あやしい」

スキッパーは、ふたごのこういういいかたにはなれていましたから、舵《かじ》と帆《ほ》に気をつけながら、軽《かる》い気持《きも》ちでたずねました。

「どうしてあやしいの？」

「笛吹《ふえふ》きが、こそあどの森にくるっていうのがへん」

「そう、商売《しょうばい》にならない」

「遊びにきているのかもしれないよ」

「雪の森でなにしてた？」

「遊んでた？」

「いや、あちこち歩《ある》きまわって、ほら穴《あな》で笛《ふえ》を吹《ふ》いていたな」

「それがあやしい」

「そう、あちこち歩《ある》きまわるのがあやしい」

「散歩《さんぽ》していたのかもしれないよ。夏に会《あ》ったときにも、散歩《さんぽ》していたもの」

「夏？」

「うん」

「わたしの推理《すいり》では、どこかで悪いことをして逃《に》げてきてると思う」

「わたしの推理《すいり》では、こそあどの森に、秘密《ひみつ》のなにかをさがしにきてると思う」

「あ、わたしもそう思うことにする。あちこち歩《ある》きまわっているのが、その証拠《しょうこ》」

「そう、証拠《しょうこ》」

そんなことをいっているうちに、船が岩《いわ》の近《ちか》くまでやってきたので、ふたごはだまりました。

笛《ふえ》の二重奏《にじゅうそう》は、秋の湖《みずうみ》にふさわしく、静《しず》かで美《うつく》しい曲《きょく》でした。それが音をのばして終《お》わると、ふたごはいままで話していたことなどしらない顔で、ナルホドとマサカにむかって、ぱちぱちと手をたたきました。

スキッパーもあわてて拍手《はくしゅ》したので、舵《かじ》と帆《ほ》が自由《じゆう》になった船は、ゆっくりと風《かざ》上《かみ》にむかって、とまりました。岩《いわ》とはもう十メートルほどのところです。

マサカが、いまはじめてヨットに気づいたふりをしていいました。

「その海賊船《かいぞくせん》は、どこへいくところだ？」

へんな冗談《じょうだん》をいうなよとナルホドが横目《よこめ》でみました。マサカはそれにはかまわず、つづけました。

「元気《げんき》だったかい、スキッパー。それから、ふたごのおじょうちゃんたち」

「わたしのことは、ミントとよんで」

へさきにすわったほうがそういうと、まんなかにすわったほうもいいました。

「わたしのことは、ジンジャーとよんで」

おや、とマサカがまゆをあげました。

「前にあったときも、そんな名だったかい？」

「わたしたち、ときどき、名前をかえる」

「そう、すきな名前にする」

「そりゃいいや」マサカはそういったあとでスキッパーをみました。「へんなのとつきあってるな」

「おじさんたちはこんなところでなにをしてるの？」

ジンジャーがたずねました。

「笛《ふえ》を吹《ふ》きながらだな、海賊船《かいぞくせん》をみはっていたのさ」

いいかげんにしろよという目でナルホドはマサカをみてから、ちゃんと説明《せつめい》しました。

「この奥《おく》の林でキャンプをしてるんだ。もしもひまなら遊びにくるといいぜ。テントがあるからすぐにわかる。またいろいろ森のことを教えてくれりゃ、おれたちは大よろこびだ」

はっと気がついてスキッパーは舵《かじ》をにぎって、帆《ほ》の調節《ちょうせつ》をしました。しらないうちにヨットが風でおされて岩《いわ》に近《ちか》づいていていたのです。

船はゆっくり岩《いわ》からはなれていきました。

「いつまでそこにいるの？」

スキッパーがたずねると、ナルホドがこたえました。

「あと二、三日ってとこかな。くるかい？」

「たぶんね」

そういってスキッパーは、ちょっとだけ舵《かじ》を自由《じゆう》にさせて、ふたりに手をふりました。

岸《きし》をだいぶはなれてから、ふたごは小声《こごえ》でいいました。

「やっぱり、あやしい」

「そう、あやしい」

「なにが？」

「森のこと、教えてほしいっていった」

「大よろこびっていった」

「それが?」

「なにかをさがしてる」

「情報《じょうほう》をほしがってる」

やれやれ、とスキッパーは思いました。

ヨットがふたごの家のある島につくまで、ずっとふたりはあやしいといいつづけていました。そしてスキッパーがナルホドとマサカのテントに遊びにいくなら、ぜひ自分《じぶん》たちもさそってくれといいました。

「いっしょに、ヨットでいこう」

「そう。ヨットならすぐにいける」

「それで、あのふたりのようすをさぐる」

「なんのために森にきているのか、さぐる」

「だから、かならずさそって」

「やくそく。きっとね」

スキッパーは、あすかあさって、ふたごといっしょにナルホドとマサカのテントに遊びにいくことをやくそくさせられました。

ほんとうはスキッパーは、ナルホドとマサカのことをあやしんではいなかったのです。けれどあんまりあやしいあやしいといわれつづけたものですから、すこしはあやしいかなという気分《きぶん》になっていました。

そのせいでしょうか。ウニマルにもどり、夕食《ゆうしょく》のしたくをはじめたときのことです。肉と豆《まめ》のケチャップ煮《に》の缶《かん》づめをあけていたのですが、缶切《かんき》りを使《つか》う手がぴたりととまってしまいました。マサカのことばを思い出したのです。

その海賊船《かいぞくせん》はどこへいくところだ。マサカはそういいました。たしか、去年《きょねん》の冬、雪の森で助《たす》けてもらったときにもマサカは、海賊《かいぞく》フラフラの宝《たから》をさがしていてまいごになったのか、といったのです。それがいま、とつぜん思い出されました。どうして海賊《かいぞく》のことばかりいうのでしょう。

「海賊船《かいぞくせん》……？」

スキッパーはことばに出してつぶやいてしまいました。

秘密《ひみつ》のなにかをさがしている。ふたごはそういいました。そういえば、去年《きょねん》の冬、マサカはもういちどそのようなことをいっていました。ナルホドが、こそあどの森につたわる話なんてないかとたずねたときに、だれかが宝物《たからもの》をかくしたとか、とマサカは口をはさんだのです。

そうです。そしてどちらのときも、すぐにナルホドはマサカのことを、こいつは冗談《じょうだん》ばかりいうんだなどといって、ごまかしていました。きょうもそうです。マサカが海賊船《かいぞくせん》といったとき、ナルホドはいやな顔をしたのです。

まさかなあ、とスキッパーは思いました。缶切《かんき》りを再《ふたた》び使《つか》いはじめたものの、頭のなかから、海賊《かいぞく》フラフラの宝《たから》ということばが消《き》えません。あのふたりは、海賊《かいぞく》フラフラの宝《たから》をさがすために、こそあどの森にきているのでしょうか。

ストーブで缶《かん》づめをあたため、ホットケーキを焼《や》き、お茶をいれ、夕食《ゆうしょく》のしたくができあがると、書斎《しょさい》から本をとってきました。『海賊物語《かいぞくものがたり》』という本です。フラフラのことをしらべてみたくなったのです。夕食《ゆうしょく》を食べながら本を読むなんてこと、ふだんはしないのですが、きょうは特別《とくべつ》の日にしました。

『海賊物語《かいぞくものがたり》』には何人《なんにん》かの海賊《かいぞく》についてのことが書かれています。なかには、うわさだけでほんとうはいなかった海賊《かいぞく》のことも書かれています。けれど、フラフラは、百年以上《いじょう》も前のことですが、ほんとうにいたのです。

スキッパーは、前に読んだことがあるこの本の、フラフラについて書かれているところだけ、もういちど読みました。

『海賊物語《かいぞくものがたり》』によると、フラフラはハラペーニョという国で魔術師《まじゅつし》でした。舞台《ぶたい》で観客《かんきゃく》に魔術《まじゅつ》をみせるひとだったのです。その魔術《まじゅつ》というのが当時《とうじ》の人々《ひとびと》をたぶらかすものだったので、国外《こくがい》へ追《お》い出されてしまいます。そのあと、海賊《かいぞく》になるのです。フラフラがほかの海賊《かいぞく》とちがったのは、魔術《まじゅつ》を使《つか》うというところでした。血《ち》を流《なが》して相手《あいて》の船と戦《たたか》うのではなく、魔術《まじゅつ》を使《つか》ってお金や宝石《ほうせき》をうばいました。

はじめはフラフラの海賊船《かいぞくせん》、ファンタスマルがあらわれると、よろこぶひともいたそうです。貧《まず》しい人々《ひとびと》からはなにもうばわず、お金持《かねも》ちだけからうばったからです。お金や宝石《ほうせき》をうばわれたお金持《かねも》ちのなかにも、あれはうばわれたのではなく、魔術《まじゅつ》をみせてもらった代金《だいきん》だというひともいました。

けれども、ある事件《じけん》をきっかけに、フラフラは残酷《ざんこく》な海賊《かいぞく》になります。それは、当時《とうじ》の大臣《だいじん》プルトーネの乗った船がフラフラにおそわれた事件《じけん》です。このとき、フラフラはプルトーネを殺《ころ》してしまいます。それからというもの、フラフラのファンタスマルは相手《あいて》の船の人々《ひとびと》を全員殺《ぜんいんころ》してしまうなど、いままでにあらわれた海賊《かいぞく》のなかで、もっともおそろしい海賊《かいぞく》になるのです。

そしてとうとう、沿岸警備《えんがんけいび》の船団《せんだん》にうちまかされ、ファンタスマルは燃《も》えつきてしまいます。ただそのときにフラフラが死んだのか生きのびたのか、それまでにためこんだばくだいな財宝《ざいほう》が船といっしょに燃《も》えて沈《しず》んだのかはこびだされたのか、それはまったくわかっていません——。

これが、フラフラについて書かれていることのすべてです。

海賊《かいぞく》フラフラの宝《たから》……。スキッパーは本をとじ、首《くび》をひねり、のこっていたお茶をのみほして、大きく息《いき》をつきました。

本を読むと、ますます気になってきました。あすナルホドとマサカのところへいって、フラフラの宝《たから》をさがしているのかどうか、たずねてみようかとも思いました。けれど、もしもそうだとしても、うちあけてくれないような気がします。

ほおづえをついて、テーブルの上の『海賊物語《かいぞくものがたり》』をながめていると、とつぜんトワイエさんのことを思い出しました。前にトワイエさんがウニマルにやってきたとき、テーブルの上にあった『海賊物語《かいぞくものがたり》』に目をとめて、この本は自分《じぶん》も読んだことがある、といったのです。そしてフラフラの話になって、フラフラが残酷《ざんこく》な海賊《かいぞく》だったとは思えない、と首《くび》をふったのです。

——どうして思えないんですか?

スキッパーはたずねました。

——その、ぼくは、フラフラに関係《かんけい》のある、貴重《きちょう》な本をですね、ええ、もっているんです。それを読むと、んん、フラフラって、残酷《ざんこく》にはなれないような気が、するんですね。ええ。

トワイエさんは、そういいました。フラフラに関係《かんけい》のある貴重《きちょう》な本、それはどんな本なのでしょう。それを読むとフラフラの宝《たから》のことがわかるのでしょうか。

スキッパーは、あすはナルホドとマサカのテントへいくのはよして、トワイエさんの家にいってみようと思いました。

2 トワイエさんと『フラフラ劇場《げきじょう》』

トワイエさんの家は大きな木の上の屋根裏部屋《やねうらべや》で、ウニマルから二十分ほどのところにあります。

大きな木は葉がすっかりオレンジ色になっていました。スキッパーは、幹《みき》のまわりのらせん階段《かいだん》をのぼりながら、夕焼け雲《ゆうやけぐも》のなかにはいっていくようだなと思いました。

トワイエさんはちょうど午後《ごご》のお茶をいれようとしているところでした。

ふたりぶんの紅茶《こうちゃ》の葉をポットにいれて、お茶の準備《じゅんび》をするトワイエさんに、スキッパーは、ここにやってきたわけを話しました。ナルホドとマサカが海賊《かいぞく》フラフラの宝《たから》をさがしているのではないかということ、それで、前にトワイエさんがフラフラに関係《かんけい》のある貴重《きちょう》な本をもっているといっていたのを思い出したので、その話をききたいということ――。

湯《ゆ》わかしのお湯《ゆ》をポットにそそぎ、お茶の葉がひらくのをまつあいだ、トワイエさんは本棚《ほんだな》から一冊《いっさつ》の本をとりだしました。

「これが、その、ええ、貴重《きちょう》な本、なんです。でも、スキッパー、ここにはフラフラの宝《たから》のことなんて、書かれていませんよ」

スキッパーは、すこしがっかりしましたが、トワイエさんのさしだす本をうけとりました。

古《ふる》い本でした。表紙《ひょうし》と裏表紙《うらびょうし》は、それぞれ一枚《まい》ずつの厚《あつ》くかたい革《かわ》でできていて、背表紙《せびょうし》がなく、革《かわ》ひもでとじられています。題名《だいめい》は書かれていません。

「世界に一冊《いっさつ》しかありません。ずっと前に、その、こっとう品屋《ひんや》でみつけたんです」

そっとひらくと、はじめのページに、茶色っぽいインクの手書きの飾《かざ》り文字《もじ》で、題名《だいめい》のようなものが書かれていました。古《ふる》い文字《もじ》の書きかたで、スキッパーには読みにくかったのですが、『フラフラ劇場《げきじょう》』と書かれているようでした。ぱらぱらとページをめくると、なかも手書きの文字《もじ》で、

ふつうの本とはずいぶん感《かん》じがちがいます。読みにくい文字《もじ》で書きこみや書きなおしがいっぱいありました。

「あの、本、というより、ノート、といったほうが、んん、いいかもしれません。つまり、手書きの、ええ、脚本集《きゃくほんしゅう》、ですね」

「きゃくほんしゅう？」

トワイエさんはお茶をいれた大きめのマグカップをふたつ、机《つくえ》の上におきました。そして机《つくえ》の横《よこ》に木の箱《はこ》をおき、そこにクッションをおいてスキッパーをすわらせ、自分《じぶん》は机《つくえ》の前のいすに腰《こし》をおろしました。

「さとう、いくつ？」

「あ、ふたつ」

トワイエさんは自分《じぶん》のにはひとつ角《かく》ざとうをいれ、スキッパーのカップをまぜたスプーンで、自分《じぶん》のもかきまぜました。そしてスプーンをつっこんだまま、ひとくちのみました。

「フラフラが魔術《まじゅつ》のみせものをしていたのは、その、しっているでしょう?」

スキッパーもお茶をひとくちすすって、うなずきました。トワイエさんは机《つくえ》の上におかれた本の最初《さいしょ》のページをあけて、『フラフラ劇場《げきじょう》』と書かれた下のほうの小さな文字《もじ》を指《ゆび》さしました。

「ここに、フラフラ一座《いちざ》、ライター、と書かれていますね。フラフラ一座《いちざ》というのは、んん、フラフラを中心《ちゅうしん》にいっしょにみせものをしていた集《あつ》まりのことで、きっと、ライターというのが、その、ええ、座付作者《ざつきさくしゃ》の名前だったのだと、んん、思いますね」

「ざつきさくしゃ?」

「ええ、一座《いちざ》のなかのひとりで、だしものの脚本《きゃくほん》、つまり舞台《ぶたい》の場面《ばめん》とか、役者《やくしゃ》の動き、せりふなどを、その、考《かんが》えて、書くひと、ですね」

トワイエさんは本のつぎのページをめくりました。

「この本には、三つの脚本《きゃくほん》が書かれていて、んと、この最初《さいしょ》のは、『春のふしぎ』

という題名《だいめい》です。ここに」と、トワイエさんは指《ゆび》で文字《もじ》をなぞりました。「登場人物《とうじょうじんぶつ》が書かれていますね。道化《どうけ》1、道化《どうけ》2、老人《ろうじん》（フラフラ）、ね」

つぎのページから、舞台《ぶたい》のようすが書かれていました。読みにくい文字《もじ》でしたから、トワイエさんは、だいたいのところをスキッパーに説明《せつめい》してくれました。

「その、三つのだしものは、んん、ほぼ、形が決《き》まっていて、ええ、まず、道化《どうけ》のふたりがなにか、そのおしゃべりをする、と。そこへフラフラがあらわれて、ええ、ふしぎをみせる。そんなぐあいです」

『春のふしぎ』では、歌と踊《おど》りで登場《とうじょう》したふたりの道化《どうけ》が、こっけいなしぐさとせりふまわしで、あっというまに育《そだ》つつる草のうわさばなしをしているところに、フラフラが老人《ろうじん》の姿《すがた》であらわれます。

フラフラがつる草の種《たね》を舞台《ぶたい》に落《お》とすと、みるみるそれは大きくなり、舞台《ぶたい》をうずめ、客席《きゃくせき》までつる草でいっぱいになってしまいます。やがて音楽が流《なが》れだし、あちこちで大きな花が咲《さ》きます。ところがとつぜん音楽の調子《ちょうし》が変《か》わると、ふたりの道化《どうけ》は鳥と蛇《へび》に変《か》わってしまいます。蛇《へび》は鳥を追《お》いまわします。飛《と》んで逃《に》げまわる鳥は天井《てんじょう》まで育《そだ》ったつる草にじゃまされて、思うように飛《と》べません。観客《かんきゃく》に鳥を助《たす》けるようにフラフラが声をかけますが、観客《かんきゃく》もつる草のために動けないのです。

とうとう蛇《へび》は鳥を追《お》いつめ、丸《まる》のみにしてしまいます。その蛇《へび》をつかまえたフラフラは、蛇《へび》をまっぷたつにします。するとふたつにわかれた蛇《へび》は、もとのふたりの道化《どうけ》にもどって、道化《どうけ》の服《ふく》は、最初《さいしょ》のものよりずっときらきらしたものに変《か》わっているのです。そして、いつのまにか、つる草はすっかり消《き》えている、というのが『春のふしぎ』です。

「それ、どういうしかけなんですか？」

ぽかんと口をあけたままきいていたスキッパーがたずねました。

「しかけ、んん、それは、書かれていませんね。ぼくの想像《そうぞう》では、フラフラは、その、催眠術《さいみんじゅつ》を使《つか》っていたのではないかと、ええ、思いますね」

「さいみんじゅつ……？」

春のふしぎ

「ええ、その、ひとを、眠《ねむ》っているのとはちがうのだけれど、んん、それによく似《に》た状態《じょうたい》にさせてですね、ないものをあるように思いこませたり、動けなくさせたりする、まあ、そんなもの、です」

「そんなことができるんですか」

「ええ、それは、ほんとうにできるんです。とはいえ、だれにでもできるわけではないでしょうがね。ですから、フラフラは、しかけのある手品《てじな》のようなものを、その、使《つか》ったり、催眠術《さいみんじゅつ》を、使《つか》ったりして、観客《かんきゃく》にですね、そういうふしぎを、ええ、信《しん》じこませるように、したんじゃないかと、思いますね」

「ぼく、みたかったな、その舞台《ぶたい》を」

「そうですね、みたかったですね」

トワイエさんはうなずいて、お茶をまたひとくちのみました。

ふたつめの劇《げき》は竜《りゅう》を呼《よ》びだすものでした。コップの水がいつのまにか舞台《ぶたい》いっぱいの海になり、竜《りゅう》があらわれます。道化《どうけ》の演《えん》ずるふたりのお姫《ひめ》さまが竜《りゅう》にとらわれ

たのを、小舟《こぶね》に乗った騎士《きし》のフラフラが、竜《りゅう》をやっつけて救《すく》い出すというものです。

「道化《どうけ》って、女のひとだったんですか」

スキッパーがたずねました。トワイエさんは首《くび》をかしげました。

「さあ、どうでしょう。んん、女のひとだったかもしれませんし、男のひとだったかもしれないです。たとえ男のひとが演《えん》じていても、フラフラなら、美《うつく》しい女のひとだと観客《かんきゃく》に思わせることなんて、ええ、たやすいことだったでしょうからね」

三つめのは、道化《どうけ》と、そのほかの登場人物《とうじょうじんぶつ》が貧《まず》しい人々《ひとびと》を演《えん》じているところに、フラフラがぜいたくな大臣《だいじん》になってあらわれます。人々《ひとびと》がパンがほしいといえば、大臣《だいじん》の呪文《じゅもん》で空中《くうちゅう》からかぎりなくパンがふってきて、人々《ひとびと》はパンの山につぶされそうになり、ワインがほしいといえば、あふれでたワインでおぼれそうになり、お金がほしいといえばこれもおびただしいお金にうずまってしまいそうになります。こまってしまった人々《ひとびと》は、最後《さいご》の願《ねが》いだといって、大臣《だいじん》に消《き》えてくれとたのみます。すると大臣《だいじん》の姿《すがた》がぱっと消《き》えてなくなってしまうのです。

ほうっとスキッパーはためいきをつきました。ほんとうにそれをみてみたいものだと思いました。

「どうですか」と、トワイエさんはいいました。「三つとも、最後《さいご》は、その、ほっとする終《お》わりかたに、んん、なっているでしょう。この脚本《きゃくほん》は、ライターというひとが、ええ、書いたものですが、もちろん、フラフラと相談《そうだん》して、書いたはずです。だって、その、ふしぎをおこすのは、フラフラですからね」

トワイエさんは本をもったまま、遠《とお》くをみるような目をしました。

「こんな劇《げき》をするフラフラが、ですね、残酷《ざんこく》な海賊《かいぞく》になったなんて、んん、ぼくには、とても思えないです。この最後《さいご》の脚本《きゃくほん》なんか、とりわけ、貧《まず》しい人々《ひとびと》の味方《みかた》のように……」

そういって、三つめの脚本《きゃくほん》のページをめくるトワイエさんの手元《てもと》をみていて、スキッパーは、おやと思いました。

「どうか、しましたか？」

トワイエさんは、スキッパーの顔をみて、手をとめました。

「トワイエさん、その本、裏《うら》にもなにか書いてある」

スキッパーは、トワイエさんのななめ前から本をみていました。本は長い紙をじゃばら式《しき》におりたたんで、一方《いっぽう》のがわをひもでとめた形になっています。いまトワイエさんがページをめくろうとしたとき、おりたたまれた紙がずれて、スキッパーには紙の裏《うら》がわがみえたのです。

「裏《うら》にも……？」

トワイエさんは本を目の高さにもちあげて、おりたたまれた紙のすきまをひろげてのぞきこみました。トワイエさんの口がぽかんとあきました。スキッパーをみて、あわててほかのページのすきまもたしかめました。そして、口をとじてごくんとつばをのみこみました。

「ほ、ほんとうだ。スキッパー、き、きみはすごい発見《はっけん》を、その、すごい発見《はっけん》を、しましたよ！」

そういったあとで、あ、と口をあけました。

「そ、そうか！　それで、か」

「……？」

「い、いやね、スキッパー、ここをみてください。ぼくはずっと、ふしぎだなと、そう、ふしぎだなと思っていたんです」

トワイエさんは本を机《つくえ》の上におくと、表紙《ひょうし》の、とじられたのとは反対《はんたい》のはしを指《ゆび》さしました。するとそこには、ちょうどとじられている側《がわ》の革《かわ》ひもが通《とお》っている穴《あな》と同《おな》じ高さに、二かしょ、小さな穴《あな》があいていました。

「それから、なかにも」

ページをひらいていくと、どのページにも、同《おな》じ高さに二かしょずつ、針《はり》でさしたような小さな穴《あな》があいているのです。

「そうか、この本は、いまとじられている革《かわ》ひもをほどいて、んん、その、こっち

のほうに細《ほそ》い糸《いと》を通《とお》すと、……通《とお》すと、本が、そう、裏《うら》がえるんだ」

トワイエさんはほおを赤くしてたちあがると、棚《たな》から小箱《こばこ》をもってきて、そのなかから針《はり》と糸《いと》をとりだしました。そして針《はり》に糸《いと》を通《とお》そうとしました。が、手がふるえてうまくいきません。

「はあ、はは、ぼく、あんまりこうふんして、その、針《はり》に糸《いと》が、通《とお》せないみたいです」

「ぼくがしましょうか？」

「た、たのみます」

スキッパーは針《はり》に糸《いと》を通《とお》しました。ついでに本の小さなふたつの穴《あな》に通《とお》すのもしました。糸《いと》が切《き》れてしまわないように長く二重《にじゅう》にした糸《いと》を、何度《なんど》も通《とお》して糸《いと》を結《むす》んで、切《き》りました。

「あ、ありがとう」

両《りょう》はしをとじられた本をうけとると、トワ

イエさんは革《かわ》ひもをほどきにかかりました。

いったいなにが書かれているのか、スキッパーはわくわくしました。それをみつけたのが自分《じぶん》なのですから、なおさらです。そしてトワイエさんは、スキッパーよりももっとこうふんしているようでした。

ようやくほどけた革《かわ》ひもを注意《ちゅうい》ぶかく抜《ぬ》きとると、トワイエさんは、そっと本をひらきました。脚本《きゃくほん》と同《おな》じくせの文字《もじ》がならんでいるのがスキッパーにもみえました。トワイエさんはつばをのみこんで、めがねをおしあげると、文字《もじ》に目をはしらせはじめました。スキッパーものぞきこみました。でも、むずかしい字で、スキッパーには読みにくいものでした。

スキッパーが小さなためいきをついたので、トワイエさんは、あ、とスキッパーをみました。

「声に出して、その、読みましょう、か?」

「おねがいします」

スキッパーは、ほっとしました。トワイエさんは、低《ひく》い声で読みはじめました。

「はじめに。

いま、わたしがこれを書いておかなければ、だれもほんとうのことをしることがないだろう。これを書くことができるのは、わたしだけなのだから。だが、これをいま発表《はっぴょう》するわけにはいかない。そうすると、わたしはとらえられるだろう。わたしもまた、罪人《ざいにん》とされているのだ。

そこで、この手帳《てちょう》にしかけをほどこし、いつの日にか、だれかにわたしたちのことをしってもらえることを願《ねが》って、これを書くことにする。

関係《かんけい》があるひとの名は、もはやだれにもめいわくをかけないひとについてのみ書くことに、また、思い出の場所《ばしょ》については、人々《ひとびと》に踏《ふ》み荒《あら》されることのないように名を書かないことにするが、許《ゆる》してもらいたい。

ライター・シナリオーノ」

トワイエさんは、口をあけたまま静《しず》かに大きな息《いき》をつくと、つぎのページをめくりました。そこには題名《だいめい》だけが、書かれていました。

『フラフラの真実《しんじつ》の物語《ものがたり》』

トワイエさんは、スキッパーの顔をみました。ほおと鼻《はな》が赤くなっていました。

「こ、これは、すごい。これは、すごいですよ、スキッパー。大発見《だいはっけん》です」

トワイエさんがこまかくうなずくのにさそわれるように、スキッパーもこまかくうなずきかえしていました。

トワイエさんは、ページをめくりました。そして、読みはじめました。

3　かくされていた『フラフラの真実《しんじつ》の物語』

若《わか》き日《ひ》の
ライター・シナリオーノ

『フラフラの真実《しんじつ》の物語《ものがたり》』を
書《か》いたころの
ライター・シナリオーノ

――わたしはフラフラの親友《しんゆう》だった。わたしたちは同《おな》じ年にうまれ、十八才《さい》で出会《であ》い、それから三十年間、ずっといっしょにすごした。そのあいだわたしたちはおたがいのことを「親《した》しい友」とよびあっていた。

わたしがあとになってきいたところによると、わたしの親《した》しい友は、緑色の国旗《こっき》の国、ハラペーニョのすぐれた政治家《せいじか》、ポポロのひとり息子《むすこ》としてうまれた。そして十二才《さい》の冬がくるまでは、しあわせに育《そだ》てられた、という。

十二才《さい》の冬のある夜、彼《かれ》の父《ちち》と母《はは》はプルトーネによって暗殺《あんさつ》された。プルトーネはポポロと対立《たいりつ》する政治家《せいじか》であった。ものかげにかくれて現場《げんば》をみていたわたしの親《した》しい友は、涙《なみだ》ながらに復讐《ふくしゅう》を決意《けつい》し、その場からのがれ、旅《たび》の手品《てじな》師《し》ハテナにかくまわれた。

ハテナには妻《つま》と娘《むすめ》がいた。娘《むすめ》はその名をフルフルといった。ハテナは彼《かれ》にフラフラと名をつけ、フルフルの兄として育《そだ》てることにした。

フラフラはハテナの手品《てじな》の助手《じょしゅ》になって、国から国へと渡《わた》り歩《ある》いた。そのう

ちに、ハテナはフラフラの才能《さいのう》に気づいた。ハテナは自分《じぶん》の手品《てじな》の技術《ぎじゅつ》をそっくりフラフラに教えこんだ。フラフラはそのすべてをハテナよりうまくできるようになった。とりわけ才能《さいのう》を発揮《はっき》したのは、催眠術《さいみんじゅつ》だった。ハテナが、フラフラはうまれついての魔術師《まじゅつし》ではないかとさえ思ってしまうほど、その催眠術《さいみんじゅつ》は奇跡的《きせきてき》なふしぎを人々《ひとびと》にあたえたのである。

スキッパーとトワイエさんは顔をみあわせました。

「すごいや。トワイエさんのいったとおりだ」

「つづけましょう」

——やがてハテナはフラフラを座長《ざちょう》にすることにした。フラフラ一座《いちざ》のたんじょうである。フラフラのだしものは評判《ひょうばん》となり座員《ざいん》も増《ふ》え、以前《いぜん》のように街《まち》角《かど》や広場《ひろば》で手品《てじな》をするのではなく、劇場《げきじょう》で公演《こうえん》をするようになった。

その公演《こうえん》を、わたしはみた。わたしはそのころ、脚本《きゃくほん》の勉強をしていたのだ。運命的《うんめいてき》な出会《であ》いだった。舞台《ぶたい》はすばらしかった。だがわたしなら、もっとすばらしい舞台《ぶたい》にできると思った。そこでわたしはその夜、フラフラのための脚本《きゃくほん》を一本書きあげ、つぎの日、それをもって、楽屋《がくや》のフラフラをたずねたのだ。

ハテナとフラフラは、その場でそれを読み、その場でわたしを座付作者《ざつきさくしゃ》として採用《さいよう》してくれた。ライター・シナリオーノという名は、ハテナがつけてくれ、わたしは気にいった。わたしとフラフラが十八才《さい》の春であった。

わたしは何本も脚本《きゃくほん》を書いた。

まずわたしはふしぎを考《かんが》えだした。そしてフラフラにたずねるのだ。こんなことができるかい？　するとフラフラはにっこり笑《わら》う。できるとも。そしてわたしはそのふしぎをもりあげるための場面《ばめん》やせりふを考《かんが》えるわけだ。

たいていのだしものは、歌と踊《おど》りがとくいなふたりの道化《どうけ》とフラフラが登場《とうじょう》人物《じんぶつ》だった。けれど、ハテナやフルフルが出演《しゅつえん》することもよくあった。もっと多《おお》くの人物《じんぶつ》を出すときには、手のあいている座員《ざいん》が出演《しゅつえん》した。わたしも舞台《ぶたい》に立ったのである。どういうしかけでふしぎがあらわれるのかというところは、フラフラがすべて考《かんが》えた。大がかりな装置《そうち》が必要《ひつよう》なときには、一座《いちざ》の大工《だいく》がそれをつくった。

そのしかけのいくつかは、わたしにもわかった。わかってみればなんということもないトリックだ。だがフラフラがそれを演《えん》じたら、すべてほんもののふしぎにみえた。そして、舞台《ぶたい》のそででみていても、どうしてもしかけのわからないふしぎもあった。もしかすると、フラフラはほんものの魔術師《まじゅつし》、魔法使《まほうつか》いなのではないかと、わたしも思ったものだ。

だが、そのことでフラフラのことを気味《きみ》の悪いやつだなどと思ったことはない。ふだんのフラフラは、ときどきさびしい目をすることもあったが、それ以《い》外《がい》のときは陽気《ようき》で、よく気のつく男だった。大魔術師《だいまじゅつし》ともてはやされているのに、えらぶるところがなかった。彼《かれ》の笑顔《えがお》はむじゃきなこどものようだった。

目をあわせてにっこり笑《わら》われると、彼《かれ》のためならなんでもしてやろうとさえ思えてしまうのだ。わたしだけではない。一座《いちざ》のみんながそう思っていた。

やがてフラフラはフルフルと結婚《けっこん》した。ふたりが愛《あい》しあっていたのは、だれの目にもあきらかだった。フルフルは、とても魅力的《みりょくてき》な女性《じょせい》だった。

そして、はやり風邪《かぜ》でハテナとその妻《つま》が前後《ぜんご》して死んだ。ハテナは死ぬまぎわに、フラフラに忠《ちゅう》告《こく》した。才能《さいのう》を使《つか》いすぎるな、力《ちから》をおさえろ、おまえの術《じゅつ》は強すぎる、ひかえめに演《えん》じるのだ、と。

だがフラフラは、そしてわたしは、若《わか》かった。どれだけのことができるかためしてみたかった。

そのころ、国の政治《せいじ》はプルトーネが力《ちから》をふるっていた。人々《ひとびと》のくらしは貧《まず》しく、政治《せいじ》に対《たい》する不満《ふまん》がうずまいていた。わたしたちはそんな人々《ひとびと》に、もっと豊《ゆた》かなくらしを夢《ゆめ》みるふしぎを、そして政治《せいじ》をからかうふしぎを舞台《ぶたい》でみせた。人々《ひとびと》の不満《ふまん》をばねに、フラフラ一座《いちざ》の公演《こうえん》は、さらに人気《にんき》のあるものになっていった。

ハテナの忠告《ちゅうこく》が正しかったのだとわたしたちにわかったのは、それからしばらくしてからのことだった。ハラペーニョの大臣《だいじん》プルトーネに、フラフラ一座《いちざ》は危険《きけん》な集団《しゅうだん》ときめつけられ、一座《いちざ》の全員《ぜんいん》に逮捕状《たいほじょう》が出された。人々《ひとびと》の不満《ふまん》をあおり、政治《せいじ》を批判《ひはん》するだけではなく、一座《いちざ》の全員《ぜんいん》が悪魔《あくま》の手先《てさき》であると宣伝《せんでん》されたのだ。

一座《いちざ》は国外《こくがい》に逃《に》げ出した。フラフラとわたしが三十のときだ。そのときの一座《ざ》の座員《ざいん》は、次《つぎ》の十一名《めい》である。

座長《ざちょう》（フラフラ）

その妻《つま》（フルフル）
座付作者《ざつきさくしゃ》（ライター）
楽士《がくし》の兄と弟
大工《だいく》・大道具担当《おおどうぐたんとう》
衣装《いしょう》・小道具担当《こどうぐたんとう》（大工《だいく》・大道具担当《おおどうぐたんとう》の姉《あね》）
道化《どうけ》（女優《じょゆう》）二名《めい》
料理番《りょうりばん》・雑事担当《ざつじたんとう》の夫婦《ふうふ》

「あの、がくしって？」

「ああ、その、音楽をするひと、ですね」

「やっぱり道化《どうけ》は女のひとだったんだ」

「そうですね、ええ。つづけましょう」

トワイエさんは、もうすっかりひえたお茶をひとくちのみました。

——それまでの成功《せいこう》で、わたしたちにはそうとうの財産《ざいさん》があった。フラフラはそれをみんなで分けて、それぞれの新しい人生《じんせい》をはじめようといったが、だれもがフラフラとわかれたくなかった。

船を買おうといいだしたのは、楽士《がくし》の兄弟だ。この兄弟は、かつて船乗《ふなの》りだったのだ。ちょうどすばらしい船が売りに出されていた。それはある国の注文《ちゅうもん》だったが、その国が戦争《せんそう》でほろびてしまい、船を完成《かんせい》させたものの、ひきとり手がなくてこまっていたのだ。

わたしたちは船を買った。それは十一名《めい》が沿岸《えんがん》の海の上でくらすには大きすぎず小さすぎず、まるでわたしたちのためにつくられたような船だった。兄弟の指導《しどう》により、わたしたちはひと月の訓練《くんれん》で、全員《ぜんいん》が船乗《ふなの》りになった。

けれどわたしたちにはもう、たくわえがなかった。そこでわたしたちは、船を使《つか》って興行《こうぎょう》をおこなうことにした。船の名をファンタスマルと名づけ、港《みなと》、港《みなと》で、さまざまなふしぎをみせ、代金《だいきん》をいただくことにしたのだ。ふたたび興《こう》行《ぎょう》ができる、わたしたちははりきった。もちろん、わたしもだ。船を使《つか》った海の上でのふしぎを考《かんが》えるのは楽しかった。

ファンタスマルに乗りこんだ観客《かんきゃく》たちはいつのまにか大海原《おおうなばら》に船出《ふなで》していると思いこむ。やがて大《おお》イカがあらわれたり、海の妖精《ようせい》があらわれたりするのだ。観客《かんきゃく》はさまざまな冒険《ぼうけん》を楽しみ、もとの港《みなと》にもどってくる。もちろんほんとうのファンタスマルは、いかりさえあげていないのだが。

いくつもの国のいくつもの港《みなと》で、わたしたちは興行《こうぎょう》を成功《せいこう》させた。だがハラペーニョにだけはもどらなかった。もどれば罪人《ざいにん》。もどれなかったのだ。

ハラペーニョのプルトーネは、自分《じぶん》の国で罪人《ざいにん》とした一座《いちざ》がよその国で成功《せいこう》しているのがおもしろくなかった。そこでほかの国に、ファンタスマルをどの港《みなと》にもうけいれないように申《もう》しいれた。ハラペーニョは大きな国だったから、どの国もさからおうとはしなかった。わたしたちは、海の上に出る以外《いがい》になかった。食料《しょくりょう》や水は、沖《おき》にとめたファンタスマルまで小さなボートではこんだ。

波《なみ》の高い日にはやっかいな仕事《しごと》だった。

興行《こうぎょう》はやめなかった。わたしたちは港近《みなとちか》くにとめたファンタスマルに、客《きゃく》をボートではこんだり、港《みなと》から出る船、はいる船を相手《あいて》にふしぎをみせることにした。だれもがフラフラがプルトーネにくまれていることをしっていたし、だれもがプルトーネを心よく思っていなかったので、だしもののなかでわたしたちはプルトーネをからかった。悪役《あくやく》をプルトーネそっくりにしたりしたのだ。

プルトーネは頭にきた。自分《じぶん》の国のハラペーニョの船客《せんきゃく》にはもちろん、よその国の船客《せんきゃく》にも、いっさいフラフラ一座《いちざ》には代金《だいきん》を支払《しはら》わないよう命《めい》じた。

わたしたちは、ある種《しゅ》の海賊《かいぞく》になる以外《いがい》に道はなかった。魔術《まじゅつ》のみせものを武器《ぶき》にした、平和《へいわ》な海賊《かいぞく》である。

船旅《ふなたび》をしている船がある日、海上《かいじょう》でふしぎな音楽をきく。すると霧《きり》につつまれたファンタスマルがあらわれる。霧《きり》はやがて巨大《きょだい》な海蛇《うみへび》になる。ファンタスマルにとりついているのだ。船が近《ちか》づくと、ファンタスマルの船上《せんじょう》で何人《なんにん》もの

騎士《きし》が海蛇《うみへび》と戦《たたか》っているのがわかる。いつのまにかファンタスマルと旅の船はぴったりとよりそい、海蛇《うみへび》は旅の船にもむかってくる。旅の船の客は、自分《じぶん》が騎士《きし》の姿《すがた》をしているのに気づく。そしてみんなで力《ちから》をあわせて海蛇《うみへび》をやっつけるのだ。音楽と霧《きり》とともに静《しず》かにファンタスマルが去《さ》っていくと、旅の船のひとたちは、自分《じぶん》のさいふから、いくらかのお金が消《き》えていることに気づく。気づいたときにはファンタスマルはもうみえない。ただ人々《ひとびと》の頭のなかに、『フララ一座《いちざ》の歌』がこびりついているのである。

七つの海の　そのむこう
八番めの海　フラフラの海
七つのふしぎの　そのむこう
八番めのふしぎ　フラフラのふしぎ
海はふしぎに恋《こい》してる
ふしぎも海に恋《こい》してる

この歌は、ファンタスマルで公演《こうえん》をおこなうときにはかならず全員《ぜんいん》で歌った。もちろん、わたしたちが船でパーティーをするときにも歌った。全員《ぜんいん》が愛《あい》した歌だったのだ。

わたしたちは貧《まず》しいひとからはお金はとらなかった。かわりにお金持《かねも》ちからはたっぷりいただくことにした。

旅の船の人々《ひとびと》がフラフラの術《じゅつ》ですっかり眠《ねむ》りこんでいるうちに、わたしたちは代金《だいきん》をそっといただくのだが、何度《なんど》となく、プルトーネに送《おく》られるおどろくほど多《おお》くのお金や財宝《ざいほう》を、みつけることがあった。書きつけをしらべると、プルトーネはどうやらよその国で、その国の人々《ひとびと》をふみにじるような商売《しょうばい》をしているようだった。

そんなとき、わたしたちはためらわずに、それをそっくりいただいた。

プルトーネのおかげでわたしたちは大金持《おおがねも》ちになったが、プルトーネの怒《いか》りは爆発《ばくはつ》した。

プルトーネは、海賊《かいぞく》をやっつけるために沿岸警備隊《えんがんけいびたい》をつくった。ハラペーニヨの貿易《ぼうえき》を守《まも》るため、というのだが、実《じつ》は自分《じぶん》の財宝《ざいほう》を守《まも》るためだ。

そしてあるとき、沿岸警備隊《えんがんけいびたい》の船と、ファンタスマルはめぐりあった。沿岸《えんがん》警備隊《けいびたい》の船は、ふつうの旅の船をよそおっていたので、わたしたちはいつものように興行《こうぎょう》をした。乗組員《のりくみいん》も船客《せんきゃく》もふつうのなりをしていたが、全員《ぜんいん》がたくましい男たちなのでおかしいとは思った。だが興行《こうぎょう》が終《お》わり、乗組員《のりくみいん》や船客《せんきゃく》が眠《ねむ》りこんでいる相手《あいて》の船に乗りうつったわたしたちは、おびただしい武器《ぶき》をみつけ、それが沿岸警備隊《えんがんけいびたい》だとわかった。

船室《せんしつ》にはいりこんだわたしとフラフラは、そこにとんでもない男が眠《ねむ》っているのをみつけた。なんとプルトーネ自身《じしん》が乗りこんでいたのだ。フラフラはプルトーネだけを術《じゅつ》から解《と》き、めざめさせた。

プルトーネは隊員《たいいん》を眠《ねむ》りからさまさせようと大声《おおごえ》で叫《さけ》んだ。が、だれもめざめなかった。フラフラはプルトーネに自分《じぶん》がポポロの息子《むすこ》であることを告《つ》げた。

プルトーネは剣《けん》を抜《ぬ》き、親と同《おな》じ運命《うんめい》をたどらせてやろうと、フラフラにせまった。

わたしたちは剣《けん》などもっていなかった。わたしはフラフラを助《たす》けようと、そばにあったいすをもちあげたが、フラフラはわたしにじっとしているようにいった。

プルトーネはくちびるをゆがめて笑《わら》うと、剣《けん》をかまえてじりじりとフラフラに近《ちか》づいた。フラフラは身《み》がまえもせず、つったったまま青白い顔で、じっとプルトーネをみつめた。

きゅうにプルトーネの顔から笑《わら》いが消《き》えた。そして無表情《むひょうじょう》のまま――

「どうしたんですか？　無表情《むひょうじょう》のまま」

トワイエさんは、ちらっとスキッパーをみました。

「いえ、その、このあと、んん、おそろしいことが……」

「いいです。読んでください」
トワイエさんは、ひとつ息《いき》をついて、うなずきました。

——そして無表情《むひょうじょう》のまま剣《けん》を両手《りょうて》でにぎりなおし、自分《じぶん》の腹《はら》に力《ちから》いっぱいつきたてた。ふきだす血《ち》のなか、プルトーネは血《ち》でそまった剣《けん》をひき抜《ぬ》くと、もういちど自分《じぶん》の腹《はら》につきたてた。そして、もういちど、もういちど、もういちど……。

いつまでも船室《せんしつ》から出てこないわたしたちのようすをみにきた座員《ざいん》がドアをあけて息《いき》をのんだ。わたしは石のようにかたくなってたっているフラフラの肩《かた》をだいた。そのとたんにフラフラのからだの力《ちから》が抜《ぬ》けた。

いま、冷静《れいせい》になって考《かんが》えると、フラフラはあのとき、プルトーネに、自分《じぶん》に剣《けん》をつきさすようにさせることばは、ひとこともかけてはいない。だのにプルトーネはそうしたのだ。フラフラはみつめただけだった。もしかするとフラフラはほんものの魔法使《まほうつか》いだったのかもしれない。

わたしたちの興行《こうぎょう》は、その日が最後《さいご》だった。

それからというものフラフラは、船室《せんしつ》にとじこもってすごすようになった。フルフルだけがそばにいた。プルトーネは自分《じぶん》で剣《けん》をつきさしたのだが、どう考《かんが》えてもフラフラが殺《ころ》したのだ。幼《おさな》いころ心に誓《ちか》った復讐《ふくしゅう》ではあったが、じっさいにひとを殺《ころ》したということが、フラフラを苦《くる》しませた。わたしたちは、そっとみまもることしかできなかった。

やがてフラフラは一座《いちざ》を解散《かいさん》してファンタスマルをすてようといいだした。だれも反対《はんたい》できなかった。


ふうとためいきをついて、トワイエさんは顔をあげました。お茶をのもうとして、もうお茶がのこっていないことに気づき、カップをもどしました。

屋根裏部屋《やねうらべや》は暗《くら》く赤い空気で満《み》たされていました。オレンジ色だった葉は黒い影《かげ》になり、そのむこうはまっ赤《か》な夕焼《ゆうや》けです。トワイエさんはたちあがってランプに火をつけました。いままでずいぶん暗《くら》いところで本を読んでいたのが、部屋《へや》が明るくなってわかりました。

――ある国の小さな港《みなと》の沖《おき》で、わたしたちはたくわえたお金と財宝《ざいほう》を人数分《にんずうぶん》に分け、ボートで少人数《しょうにんずう》ずつ上陸《じょうりく》し、それぞれのくらしをはじめることにした。最後《さいご》に船を出たのはフラフラとフルフル、そしてわたしだった。わたしたちがボートからおりたとき、ファンタスマルは、フラフラのしかけた火で、炎《ほのお》につつまれた。

わたしはフラフラとフルフルにたのんで、行動《こうどう》をともにさせてもらうことにした。元気《げんき》をなくしたフラフラが心配《しんぱい》だったのだ。わたしたちはそれから五日《いつか》間歩《かんある》いて、ある森のなかに小屋《こや》が使《つか》われずにのこされているのをみつけ、そこでくらすことにした。

森でのくらしは、平和《へいわ》なものだった。フラフラにも笑顔《えがお》がもどった。ときどき町まで買物《かいもの》に出かけたが、そのたびにわたしたちは正体《しょうたい》を見破《みやぶ》られないようになにものかに変装《へんそう》するのだった。あるときは旅《たび》のお坊《ぼう》さん、あるときは商人《しょうにん》、というふうに。

小屋《こや》の前には畑《はたけ》をつくり、わたしは狩《か》りもした。だが、平和《へいわ》なときは二年しかつづかなかった。フルフルが病気になり、わたしたちの看病《かんびょう》もむなしく、あっけなく死んでしまったのだ。

両親を殺《ころ》されて逃《に》げだしたときから、さびしいときも楽しいときも、ずっとフラフラといっしょだった美《うつく》しいフルフル。死ぬ前の三日間《みっかかん》、彼女《かのじょ》が

いいつづけたのは「あのころのようにみんなで歌えればいいわね」ということばだった。あのころ――船の興行《こうぎょう》が成功《せいこう》を重《かさ》ね、毎晩《まいばん》のようにファンタスマルでパーティーをし、『フラフラ一座《いちざ》の歌』をくりかえした、あのころ。

わたしとフラフラは森の奥《おく》の美《うつく》しい場所《ばしょ》をえらんでフルフルの墓《はか》をつくった。わたしたちは何日《なんにち》もだまってすごした。そしてある日、フラフラはとっぴょうしもないことを思いついた。森のなかに、ファンタスマルをつくろう、といいだしたのだ。

それはたしかにばかげた考《かんが》えだった。けれど、わたしとフラフラには、なにかをすることが必要《ひつよう》だったのだ。それに、「あのころ」を思い出してくらすには、ファンタスマルほどふさわしい場所《ばしょ》はないようにも思えた。さらにわたしたちにはありあまるたくわえがあったのだ。

しかし、どうやって森のなかに船をつくればよいのか。わたしとフラフラはあれこれ計画《けいかく》をねった。それは、ひさしぶりに味《あじ》わう、わくわくする時間だった。

計画《けいかく》はできあがった。わたしたちはさっそく実行《じっこう》にうつした。

フラフラとわたしは、ファンタスマルをつくった造船《ぞうせん》の町の人々《ひとびと》を、そっくり森にうつすことにしたのだ。

造船《ぞうせん》の町の人々《ひとびと》に、フラフラの術《じゅつ》で、悪い病気がはやり、町をすてなければならなくなったと信《しん》じこませた。奇跡的《きせきてき》に全員《ぜんいん》が無事《ぶじ》に町から脱出《だっしゅつ》できた。そう、町の人は信《しん》じこんだ。

町の出入口《でいりぐち》には〈はやりやまいの町、立入禁止《たちいりきんし》〉の札《ふだ》をたてた。森をひらき、そこで船をつくるには、二年の月日《つきひ》が必要《ひつよう》だ。そのあいだに、ほかのひとに町にはいりこまれないためだった。

船をつくるための用具《ようぐ》と身《み》のまわりのものを荷車《にぐるま》につみこみ、十二日かけて人々《ひとびと》は森についた。最初《さいしょ》の仕事《しごと》は森をひらき、家と畑《はたけ》をつくることだった。くらしがおちつくのにほぼ五ヵ月かかった。

そして船をつくりはじめた。図面《ずめん》はのこっていたのだ。船に必要《ひつよう》な木を切《き》り出すのと同時《どうじ》に、フラフラは地面《じめん》に巨大《きょだい》な穴《あな》を掘《ほ》らせた。それは完成《かんせい》した船が、ちょうど水面《すいめん》に浮《う》いている高さで地面《じめん》にうまるようにしたかったからだ。

船をつくるのに一年半かかった。そのあいだ、わたしとフラフラは荷車《にぐるま》をひいて何度《なんど》も遠《とお》くの町まで買物《かいもの》に出かけた。船をつくるのに必要《ひつよう》なものや、くらしに必要《ひつよう》なものを買うためだ。買物《かいもの》をしたあとでフラフラが術《じゅつ》を使《つか》った。金物《かなもの》屋《や》や雑貨屋《ざっかや》の主人《しゅじん》は、大量《たいりょう》に品物《しなもの》を売ってはいるのだが、だれに売ったかまるで記憶《きおく》がないはずだった。

完成《かんせい》した船は、水面《すいめん》にではなく地面《じめん》に浮《う》かんでいた。それは奇妙《きみょう》なながめだった。しかしフラフラに術《じゅつ》をかけられている人々《ひとびと》は、だれもそれをふしぎだとは思っていないようだった。

人々《ひとびと》は、もう住《す》む必要《ひつよう》のなくなった家をこわしてうずめ、家のあとや畑《はたけ》のあとに、はやく大きく育《そだ》つ木を植《う》えた。わたしたちとフラフラがくらし、フルフ

ルが死んだ小屋《こや》もこわした。あとは船にすむのだから、もういらなかったのだ。それからわたしたちは船をつくった人々《ひとびと》といっしょに、海辺《うみべ》の町に、十二日かけて、荷車《にぐるま》をひいてもどった。わたしとフラフラはみんなが町につく前に〈はやりやまいの町、立入禁止《たちいりきんし》〉の札《ふだ》をはずした。町の人々《ひとびと》が自分《じぶん》の家にもどり、もとのくらしをはじめたところで、フラフラは術《じゅつ》を解《と》いた。人々《ひとびと》は、わけのからないお金がふところにあるのに、二年間のことはなにもおぼえていないはずだった。

こうして、わたしとフラフラは森にもどり、ふたたびよみがえったファンタスマルでくらすことになった。だが、その最初《さいしょ》の日に、計画《けいかく》はくるった。計画《けいかく》では、フラフラは自分《じぶん》とわたしに術《じゅつ》をかけて、あの陽気《ようき》な興行時代《こうぎょうじだい》のまぼろしを楽しむつもりだったのだ。なにもかもあのころのように、わたしたちにはみえるはずだった。だがそれは、半分《はんぶん》しか成功《せいこう》しなかった。つまり、わたしにしか術《じゅつ》はかからなかった。

すべての不可能《ふかのう》を可能《かのう》にしてきたフラフラの術《じゅつ》にも不可能《ふかのう》があった。自分《じぶん》自身《じしん》に術《じゅつ》をかけることだけは、どれほど努力《どりょく》しても、できなかったのだ。

あのころの時代《じだい》のまぼろしをみてすっかり感動《かんどう》していたわたしは、とつぜん現実《げんじつ》にひきもどされた。わたしの目の前には怒《いか》りと失望《しつぼう》に気もくるわんばかりになったフラフラがいた。

わたしはどうなぐさめればよいのかわからなかった。ようやくおちついたフラフラはわたしにいった。

「フルフルは、美《うつく》しかったか？」

「美《うつく》しかった。きみによりそっていた」

わたしは、そうこたえた。フラフラはうなずいた。そしてわたしたちはそれぞれの船室《せんしつ》にもどった。

それからフラフラはもう自分《じぶん》に術《じゅつ》をかけようとはしなかった。けれどときどき、わたしに術《じゅつ》をかけて、あのころのまぼろしをみせた。そしてたずねた。

「フルフルは、美《うつく》しかったか？」と。

わたしはそのたびに、フルフルがどんなに美《うつく》しかったか、どういうしぐさでフラフラによりそっていたかを話した。それをきいてフラフラはさびしそ

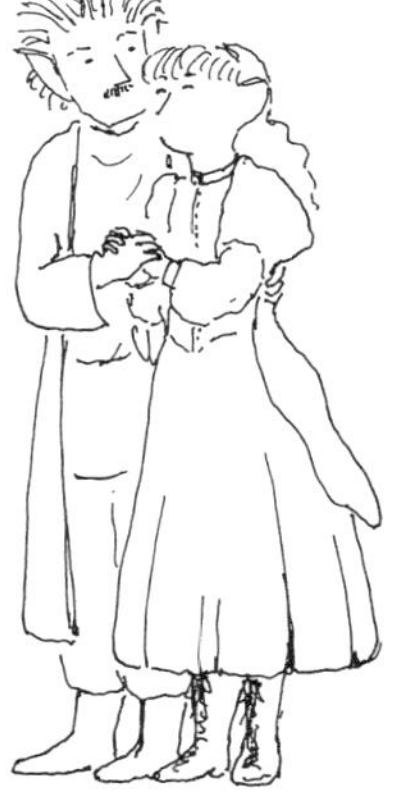

うに笑《わら》った。わたしはつらかった。そういう生活が半年つづいた。

そのあいだ、わたしたちは買物《かいもの》に出かけるかフルフルの墓《はか》へいくかする以外《いがい》は、ずっとファンタスマルですごした。ごくたまに、旅人《たびびと》や猟師《りょうし》が船をみつけることがあった。そのたびにフラフラは術《じゅつ》をかけ、船をみた記憶《きおく》を消《け》し、二度と船の近《ちか》くにこれないようにした。

やがてフラフラがわたしにみせるまぼろしは、フルフルの姿《すがた》だけになった。そしてなんということだろう、フラフラはわたしにやきもちをやくようになった。わたしがフルフルに恋《こい》をしているというのだ。そんなことはないとわたしはいったが、正直《しょうじき》なところ、それはまちがってはいないとわたしは思った。というのは、フラフラの術《じゅつ》のなかでフルフルをみることだけが、わたしの喜《よろこ》びだったのだから。

それでもフラフラはわたしに術《じゅつ》をかけ、フルフルのことをたずねた。それ以《い》外《がい》にフルフルのことをしることができなかったのだ。そしてわたしがフルフルのことを話すたびに、フラフラは目をそらせてきくのだった。

そんなことがつづいて、フラフラはわたしに術《じゅつ》をかけるよりも、フルフルの墓《はか》へいくことを好《この》むようになった。ところがあるとき、フラフラは森でころんで、ひどく左足を痛《いた》めてしまった。ひと月のあいだはまったく歩《ある》けず、はれがひいても不自由《ふじゆう》な歩《ある》きかたしかできなくなってしまったのだ。

このころからフラフラはおかしくなりはじめた。話しかけても遠《とお》くを見る目で返事《へんじ》をしなかったり、ひとりでなにかをつぶやいていたりするようになったのだ。そしてある日、それまでたたんでいた船の帆《ほ》を張《は》ろうといいだした。土にうめた船の帆《ほ》を張《は》ることにわたしは反対《はんたい》したが、きかなかった。しかたなく風のない日に帆《ほ》を張《は》った。足の不自由《ふじゆう》なフラフラとわたしには、半日がかりの仕事《しごと》だった。それからというもの、くる日もくる日もフラフラは甲板《かんぱん》にたち、思いつめた目で帆《ほ》をみあげ、像《ぞう》のように動かなかった。わたしがいわなければ食事《しょくじ》のことなど思いつきもしなかっただろう。

そのすがたは、まるで船に術《じゅつ》をかけているようにみえた。やがてフラフラは声をあげるようになった。

叫《さけ》ぶことばはきまっていた。

「船出《ふなで》だ！」

というのである。だが土にうずめられた船が動くわけはなかった。叫《さけ》び声《ごえ》をあげるようになってから、フラフラはもっとおかしくなりだした。わたしのことをフルフルだと思ってだきしめたりした。それはまだがまんできた。おそろしかったのは、わたしをプルトーネだと思いこんだときだった。わたしは船のなかを逃《に》げまどい、船から地面《じめん》にとびおりたりしなければならなかった。

けれどおかしくなるのは長くて一時間ほどのことだったし、正気《しょうき》にもどると、思いつめてはいるものの話のわかるフラフラだったから、わたしはフラフラがときどきおかしくなることを彼《かれ》には話さなかった。彼《かれ》はおかしくなったときのことをおぼえていないのだ。だが、ナイフをもちだしてわたしを追《お》いまわしたとき、とうとうわたしはフラフラに、彼《かれ》が何《なに》をしたのかをうちあけた。

フラフラは涙《なみだ》を流《なが》して、船から出ていってくれとわたしにたのんだ。わたしもつかれきっていた。わずかにのこっていたたくわえをふたつに分け、わたしは荷物《にもつ》をまとめて、ファンタスマルからおり、森をあとにした。

長い息《いき》をはいて、トワイエさんはじっとしていました。

「それで、おしまいですか？」

スキッパーがたずねると、トワイエさんはページをめくりました。

「いや、もうすこし、あります。読んでしまいましょう」


——わたしはそのあと、いくつかの国をまわり、道化《どうけ》のうちのひとりとめぐり会《あ》い、いっしょにくらすようになった。

人々《ひとびと》に伝《つた》えられている海賊《かいぞく》フラフラの話は多《おお》くはでたらめである。フラフラは残酷《ざんこく》な海賊《かいぞく》ではなかった。殺《ころ》したのはプルトーネひとりだった。だがハラペーニョの国としては、大臣《だいじん》が殺《ころ》されたのだからフラフラを残酷《ざんこく》な海賊《かいぞく》ということにしたかったのだろう。そして沿岸警備隊《えんがんけいびたい》がファンタスマルをほろぼしたことになっているが、それもうそだ。ハラペーニョは貿易《ぼうえき》で成《な》りたっている国だから、沿岸警備隊《えんがんけいびたい》が海を平和《へいわ》にしていることを宣伝《せんでん》したかったのにちがいない。

わたしが森を去《さ》ってからフラフラがどうなったのか、わたしはしらない。だが、風のうわさで、ある国でとらえられた浮浪者《ふろうしゃ》がフラフラだと名のったといわれているときいた。おそらく本人《ほんにん》だったのだろうと思う。なぜなら、その浮浪者《ふろうしゃ》は片足《かたあし》が不自由《ふじゆう》で、牢《ろう》のなかで「船出《ふなで》だ！」と叫《さけ》んで死んだというからだ。

「これで、おしまいです」

トワイエさんは、そういって、本をとじました。そのあとしばらく、トワイエさんもスキッパーも、じっとだまっていました。窓《まど》の外《そと》はもうまっ暗《くら》です。

トワイエさんがやがてたちあがり、だんろの火を大きくしてなべをかけました。

「きみ、ばんごはんを、その、食べていってくれるでしょう。トマトさんにもらったシチューがあるんです」

そうさせてもらうことにしました。

「フラフラって、きのどくなひとだったんだ」

スキッパーがつぶやくと、皿《さら》の用意《ようい》をしながら、トワイエさんもうなずきました。

「でも、しあわせなときも、ええ、あったんですよ、ね」

話をきいていたのはほんの一時間ほどのことでしたが、スキッパーは、何《なん》十年ものフラフラの人生《じんせい》につきあったような気《き》分《ぶん》でした。

4　ちょいとしたかおりのききめ

ばんごはんをごちそうになったあと、トワイエさんにウニマルまで送《おく》ってもらったら、もう九時をまわっていました。

スキッパーはまだぜんぜん眠《ねむ》くはありませんでした。頭のなかは『フラフラの真《しん》実《じつ》の物語《ものがたり》』でいっぱいでした。頭のなかだけでなく、胸《むね》もいっぱいでした。眠《ねむ》くないけれど、スキッパーはベッドにもぐりこみました。そこで、ウニマルまで送《おく》ってくれたトワイエさんが、わかれるときにいったことばを思い出しました。

「スキッパー、きみ、ほんとに、すごいものを、ええ、みつけてくれました。きみが、その、ナルホドさんと、マサカさんに、出会《であ》って、フラフラの宝《たから》をさがしているんじゃないかと、その、思わなければ、そして、ぼくのところにたずねてきてくれなければ、あれはずっと、みつからないままだったかも、しれませんね」

スキッパーはベッドのなかでおきあがりました。ナルホドさんとマサカさんは、こそあどの森でファンタスマルをさがしているんじゃないかな――。

あす、ふたごをさそって、ナルホドさんとマサカさんのテントにいってみよう。

そう決《き》めました。

次《つぎ》の日、朝ごはんをすませると、スキッパーは、湖《みずうみ》にむかいました。ふたごの家につくと、いままでにスキッパーが考《かんが》えたこと、きのうトワイエさんといっしょに読んだ本のこと、そのすべてを話しました。とちゅうでふたごはしょっちゅう話を横《よこ》どりするので、話しおえるのに一時間もかかってしまいました。

「あのふたりがフラフラの船の宝《たから》をさがしているのは、まちがいない」

「わたしも、そう思う」

話が終《お》わると、ふたりはこうふんして叫《さけ》びました。

「それでね」スキッパーはふたりをみていいました。「ほんとうにあのひとたちがフラフラの宝《たから》を、そうでなきゃ、フラフラの船を、さがしているのかどうか、さぐりだせないかな」

「さぐりだそう!」

ふたりは声をそろえました。

「話をするなかでさぐればいい」

「それとなくさぐればいい」

「じゃあ、いこう」

ソファからたちあがろうとするスキッパーを、ひとりがおしとどめました。

「いい考《かんが》えがある」

そういって、となりの部屋《へや》からクッキーのびんと、ふたにきれいな絵が印刷《いんさつ》された平《ひら》たい空缶《あきかん》をもってきました。そして空缶《あきかん》に紙をしき、クッキーをいれました。

「おみやげにするの？」

スキッパーがたずねると、缶《かん》のふたの絵を指《ゆび》さしました。

「みて」

そこには、帆船《はんせん》の絵が印刷《いんさつ》されていました。

「ジンジャー、頭いい」

もうひとり、つまりミントが手をたたきました。

なぜ頭がいいのだろうと、スキッパーはふたりをみました。

「いっしょに食べようと、これを出す」

ミントがいいました。

「おや、船の絵だ、という」

ジンジャーがつづけました。

「海賊船《かいぞくせん》みたい、という」

「海賊《かいぞく》といえば、フラフラってひとがいた、という」

そこでふたりはひとさし指《ゆび》をたてていいました。

「ようすをさぐれる」

なるほど、とスキッパーは思いました。

おとといと同《おな》じ風にのって、ヨットはむこう岸《ぎし》につきました。

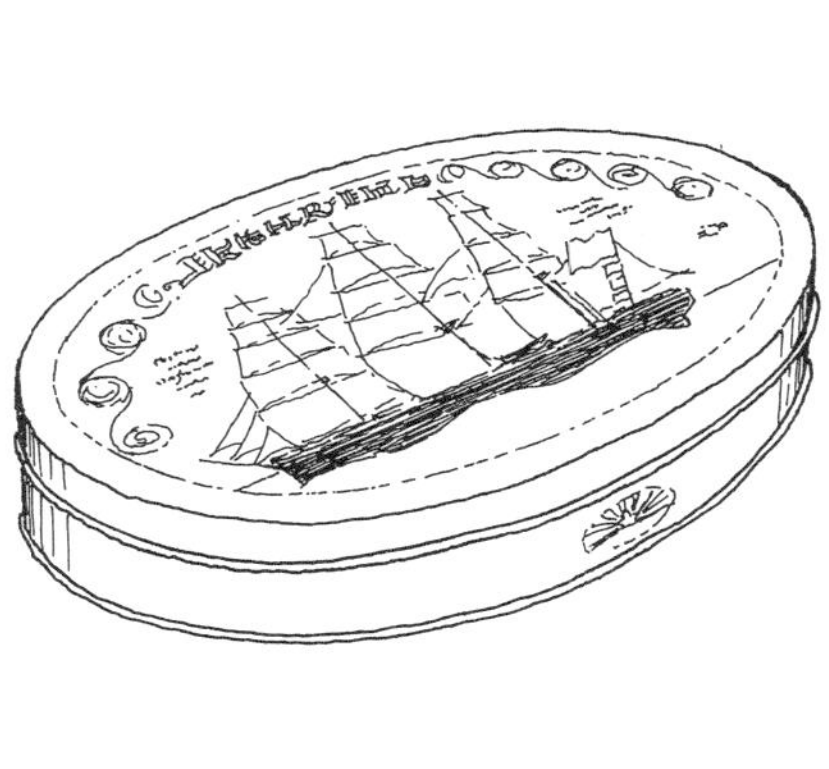

船をとめると、帆《ほ》をおろし、そなえつけのオールでボートのようにこいで、砂地《すなじ》にのりあげました。上陸《じょうりく》してから船をもう少し引《ひ》きあげ、船をつないでおくロープを近《ちか》くの木にむすんでおいて、テントをさがすことにしました。

テントよりさきに、煙《けむり》がみつかりました。林のなか、小さな広場《ひろば》のようになったところで、ナルホドとマサカがちょうどお茶か昼《ひる》ごはんの用意《ようい》をしているところでした。

「よォ」

ナルホドがにっこり笑《わら》って手をあげると、

「三人分、追加《ついか》だ」

と、マサカがいいました。

広場《ひろば》のはしにはふかみどり色のテントがはられていて、その横《よこ》には色あざやかな荷車《にぐるま》がとめられています。

「おれがおまえさんたちを好《す》きなのは」と、ナルホドがいいました。「こんなとき

におじゃまじゃなかったでしょうか、なんていわないってことさね。いや、ほんとにそう思ってるんだぜ」

それをきいてスキッパーは、そういったほうがよかったのかなと、すこし考《かんが》えました。

マサカは缶《かん》づめを三つあけました。ひとつはパンの缶《かん》づめでした。スキッパーはパンの缶《かん》づめをはじめてみました。うすくスライスした黒っぽいパンがはいっています。あとのふたつはポテトサラダでした。それをバターをつけたパンにのせて食べました。酸味《さんみ》のあるパンにポテトサラダはよくあいました。

石や木をいすがわりにして食べていると、ピクニックにきているみたいです。たき火にかけられていた湯《ゆ》わかしに直接《ちょくせつ》葉をいれたお茶を、マサカは五つのカップにそそぎました。五つのうち三つは空缶《あきかん》です。

「わたしたち、クッキーをもってきた」

ふたごのうちのひとりが、バスケットのなかにいれていた例《れい》の平《ひら》たい缶《かん》を、なんでもないようにとりだしました。スキッパーはまだ口のなかにのこっていたパンを、ごくりとのみこみました。

「クッキーだって？　そいつはありがたい。おいマサカ、クッキーなんてなァ、ひさしぶりじゃねえか」

「ひさしぶりもひさしぶり、五年ぶりくらいかな。おじょうちゃん、あんたが焼《や》いたの？」

「そう。わたしのことはジンジャーってよんで」

「わたしも焼《や》いた。わたしのことはミントってよんで」

「いや、おれもそうよびたいんだけどよ、そういうふうにいってくれなきゃ、どちらがジンジャーで、どちらがミントなんだかわかんねえんだよ」

マサカの意見《いけん》はもっともだと思いましたが、それよりも船の話にならないので、スキッパーはいらいらしました。

「そうだ。クッキーを食べるとなると……」ナルホドは荷車《にぐるま》からびんをとってきました。みんなのカップにあついお茶をつぎたし、びんの茶色の液《えき》をすこしずつそそぎました。「ちょいとしたかおりをつけようってわけだ」

「へ、こいつはいいや」

マサカがうれしそうにいいました。

カップに鼻《はな》を近《ちか》づけると、ほわんとお酒《さけ》のにおいがしました。ひと口のんだミントが「おいしい」といいました。

ジンジャーも「おいしい」とにっこり笑《わら》いました。

スキッパーは、あまりのまないようにしようと思いました。

「これ、あけてもいいかな」

マサカが缶《かん》を指《ゆび》さしました。ふたごがうなずいて、マサカは缶《かん》を手にしました。

「お、いいねえ、帆船《はんせん》の絵だ」

やった、とスキッパーがからだをのりだしかけたとき、ナルホドがマサカをつつきました。

「おいおい、いれものをほめるんじゃなくて、クッキーをほめるんだろうが」

「わたしたち、そのいれものの絵が好《す》きだから、ほめられるとうれしい」

すかさずジンジャーがいいました。

「へえ、船の絵が好《す》きなのかい？」

マサカはそういって、あけた缶《かん》のふたをナルホドにわたしました。みんなはクッキーに手をのばしました。

「うまい！」

マサカが目を丸《まる》くしてさけびました。

「うん、うまい」

ナルホドもうなずきました。うなずきながら、手にもっている缶《かん》のふたの絵をちらちらとみています。

「その船、どこの船？」

ジンジャーが、なにげない調子《ちょうし》でたずねると、ナルホドはすらすらとこたえまし

た。

「ハラペーニョって国だな。こいつはお茶の葉を運《はこ》んだんだ」

「どうしてわかるの？」

「旗《はた》が緑だから、国がわかる。船の形で仕事《しごと》がわかるってわけさ」

ふたごとスキッパーが感心《かんしん》すると、マサカがいいました。

「ナルホドはな、船をつくる町で生まれたんで、船にゃくわしいんだ」

船をつくる町。スキッパーの耳がぴくりと動きました。

「こんな船をつくるの？」

ジンジャーは、ナルホドがもっている缶《かん》のふたを指《ゆび》さしてたずねました。

「いまはこんな船の時代《じだい》じゃないからな。昔《むかし》はこんな帆船《はんせん》もつくったさ」

「じゃあ、海賊船《かいぞくせん》もつくった？」

ジンジャーがさりげなくいうと、ナルホドはまゆをあげてジンジャーをみ、ちらっとマサカをみてから、笑顔《えがお》でこたえました。

「つくったかもしれんな。でもな、つくるときは、それが海賊船《かいぞくせん》になるかどうかは、わからんのさ」

「たとえばだね」マサカがつづけました。ナルホドは横目《よこめ》でマサカをみました。

「その船をフラフラが手にいれてだね」スキッパーはどきっとしました。「海賊《かいぞく》として使《つか》って、はじめて海賊船《かいぞくせん》になるって寸法《すんぽう》じゃねえか」

笑顔《えがお》をつづけているナルホドが、かすかにまゆをしかめるのをスキッパーはみました。ふたごの計画《けいかく》はうまくいったのです。それにしても、むこうからフラフラの名を出してくるとは思いませんでした。

「フラフラって、すてき」

ジンジャーがにっこりしていいました。

「そう、すてき」

ミントもうなずきました。

「海賊《かいぞく》がすてきなもんか」マサカがすっとんきょうな声をあげました。

「とりわけフラフラなんて、とんでもないやつだぜ。相手《あいて》の船の連中《れんちゅう》をみな殺《ごろ》しにして、金銀財宝《きんぎんざいほう》、ぜェんぶ自分《じぶん》のものにしちまうってんだからよ」

「フラフラは、そんなことしていない」

マサカの声につられるようにミントがいいかえしました。スキッパーはどきっとしました。それがつくり話だということは、トワイエさんの本を読まなければわからないはずのことだからです。

「それがしてるんだよ、おじょうちゃん」マサカはつづけました。

「悪いやつなんだよ、フラフラってやつは。悪いやつってのはひどい死にかたをするって決《き》まってるのさ」そこまできいてナルホドがぎくっとマサカをみました。けれど、口を出すのはやめました。

「フラフラはな、牢《ろう》のなかでみすぼらしく死ぬんだぜ。ためこんだ金も使《つか》いきれないでよ。そんな死にかたをするやつってのは、いっぱい血《ち》を流《なが》してきたやつに決《き》まっているのさ」

「フラフラは、プルトーネしか殺《ころ》していない」

こんどはジンジャーがいいかえしました。その顔をみてスキッパーはあっと思いました。ずいぶん赤くなっているのです。そういえばミントも赤い顔です。お茶にいれたお酒《さけ》によっぱらっているのです。

「おじょうちゃん、あんたたち、みてきたようなことをいうじゃねえか。なんでそういうふうにいいきれるんだ」

マサカが不満《ふまん》そうにいいました。

「だって、わたしたち、しってる。フラフラとずっといっしょにいたひとが書いた本を、トワイエさんがもってる」

ジンジャーのことばにスキッパーは息《いき》がつまるかと思いました。ナルホドの目が光ったようです。ミントはむじゃきにいいました。「ねえ、スキッパー」そしてマサカにむきなおりました。

「スキッパーに、きいてごらん」

なんてことだ。スキッパーは目をつぶりました。ようすをさぐるどころか、全部《ぜんぶ》しゃべってしまったのです。

「そりゃ、どんな本なんだ?」

いままでだまっていたナルホドが、まじめな顔でスキッパーにたずねました。

「え? いえ、その……」

「スキッパーがみつけた。それも、きのう、ね?」

スキッパーは、ためいきをつきました。

「スキッパー」ナルホドがカップを地面においていて、しんけんな顔でいいました。

「おれたちに、その本をみせてもらえる

ように、そのトワイエさんってひとに、たのんじゃもらえねえかな」

「え、ええ、それは、その……」

「このことにゃ、おれとこいつの、じいさんのじいさんの、名誉《めいよ》ってやつがかかってるんだ」

「お、おじいさんのおじいさんの、名誉《めいよ》？」

「そうだ。たのんじゃくれないかな」

スキッパーは、うなずくほかありませんでした。

5　ナルホドとマサカの話

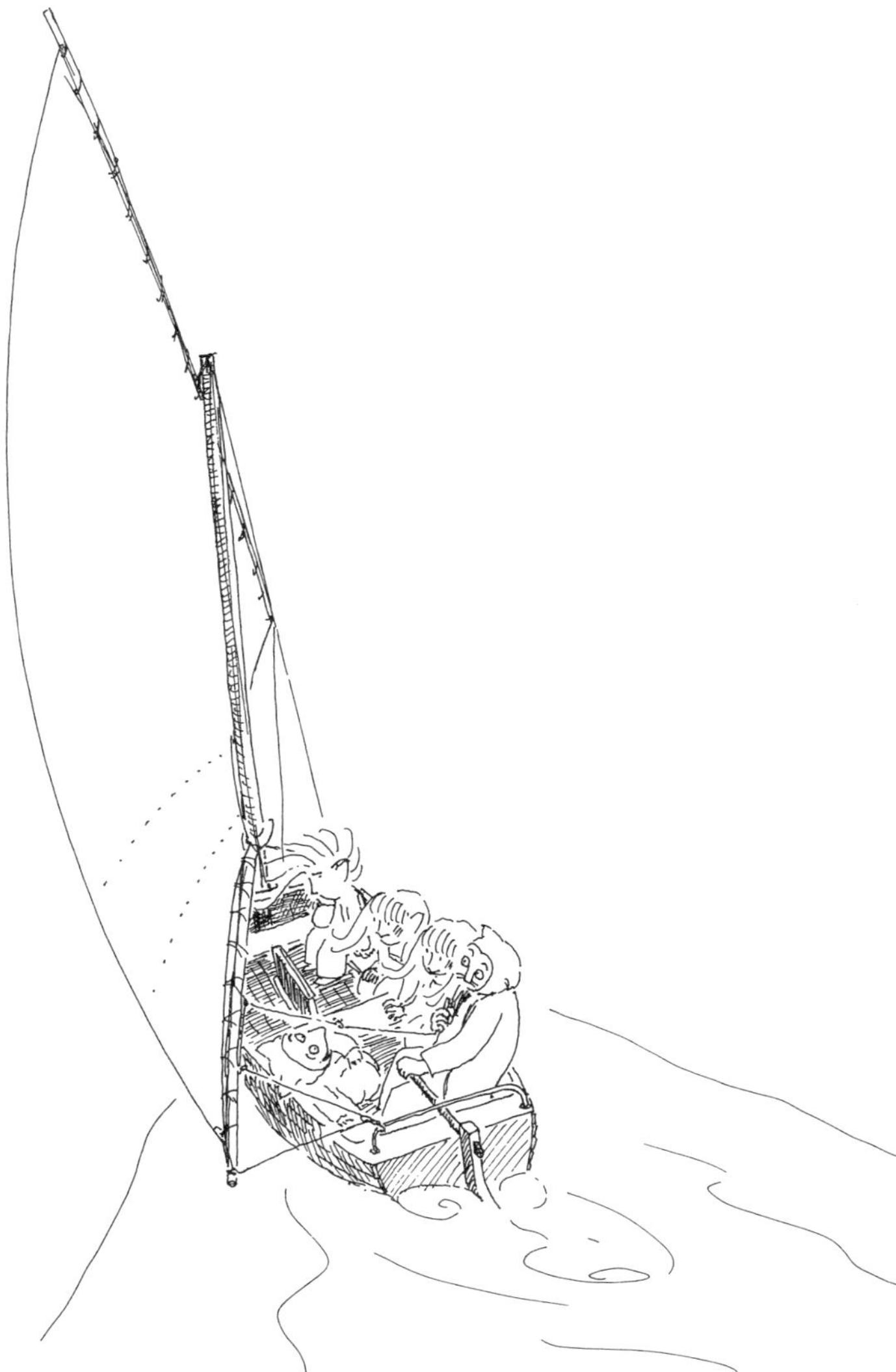

そのあとすぐ、スキッパーとふたご、それにナルホドとマサカは、ヨットに乗って湖《みずうみ》を渡《わた》りました。五人も乗れるかなとスキッパーは心配《しんぱい》したのですが、ナルホドがだいじょうぶだといいました。舵《かじ》もナルホドがにぎりました。ナルホドは舵《かじ》と帆《ほ》をあやつるのが、とてもじょうずでした。

「こいつはよ、笛吹《ふえふ》きになる前は、船乗《ふなの》りだったのさ」マサカがそういいました。

笛吹《ふえふ》きになる前は船乗《ふなの》り。スキッパーは、フラフラ一座《いちざ》の楽士《がくし》のことを思い出して、どきりとしました。

ヨットに乗っているあいだも、森の道を歩《ある》くあいだも、スキッパーは胸《むね》になにかつかえているような気分《きぶん》でした。ナルホドとマサカのことをさぐるつもりででかけたのに、話すつもりじゃなかったトワイエさんの本のことを話してしまったのです。おまけにいまからトワイエさんに、本をみせてあげてくれとたのまなければならないのです。考《かんが》えていたのとはすっかりちがうことになってしまいました。なんだか、とても重要《じゅうよう》なことに、軽《かる》はずみにふれてしまったような気がします。ナルホドがずっとだまっているのも気になります。

そんな気持《きも》ちもしらないで、ふたごはマサカを相手《あいて》に、あなたたちはきっと、フラフラの宝《たから》をさがそうとしてるんだろうとか、どうすれば笛《ふえ》がじょうずになるのとか、思いついたことをしゃべりつづけていました。

トワイエさんの家につくと、スキッパーは重《おも》い足どりで階段《かいだん》をのぼりました。

「やあ、スキッパー」

ドアのところに出てきたトワイエさんは、めがねの奥《おく》の目を丸《まる》くしました。スキッパーのうしろにふたごとナルホドとマサカがいたからです。

「や、やあ、みなさん、こんにちは」

トワイエさんがおどろいたのと同時《どうじ》に、スキッパーもおどろきました。トワイエさんのむこうに、ポットさんとギーコさんがたっていたのです。

「あ、あの……」スキッパーは口ごもりながらいいました。「あの、フラフラの本、ナルホドさんとマサカさんが、み、みせてほしいって……」

「本のことを話したのかい」

そういったのは、ポットさんです。スキッパーはなんだかしかられたような気分《きぶん》で、うなずきました。うなずいたあと、おや、と思いました。ポットさんがあの本のことをしっているようなのです。

「あ、このふたりには、その、いま、本のことを話し終《お》わったところ、なんです」

トワイエさんがポットさんとギーコさんのほうをみました。

「いや、とにかく、なかにはいりませんか」

トワイエさんの家はこの部屋《へや》ひとつきりです。せまい部屋《へや》は八人でいっぱいになりました。だんろを背《せ》にポットさんが箱《はこ》にすわっています。ギーコさんがすわっていたベッドのとなりに、スキッパーとふたごが腰《こし》をかけました。ナルホドとマサカは、トワイエさんが出してきた古《ふる》い雑誌《ざっし》をつんでいすがわりにし、トワイエさんは机《つくえ》の前の自分《じぶん》のいすに腰《こし》をおろしました。

トワイエさん、ポットさん、ギーコさんは、ナルホドとマサカにはいちどだけ会《あ》

ったことがあります。あいさつをしたあと、ナルホドが話しはじめました。

「いえね、とつぜんおじゃましたってのは、ついさっきのことなんですが、このおじょうさんがたとスキッパーに、こちらにめずらしい本があるってきいちまったもんで」

箱《はこ》にすわったポットさんがちらっとこちらをみたので、スキッパーは思わず首《くび》をすくめました。

「で、もしもよろしければみせていただきたいもんだって思いましたんでね。いえ、じつはそれにはわけってやつがありまして。わたしと、このマサカは、フラフラのことをしらなくちゃいけないんでしてね」

「どうして、しらなくちゃいけないんでしょう?」

ポットさんが、なんだかかたい口調《くちょう》でたずねました。ナルホドは、ちょっと考《かんが》えて、マサカにいいました。

「おれは、道でずっと考《かんが》えてたんだが、ここのひとたちに全部《ぜんぶ》話そうと思うんだ。

おめえ、どう思う？」

マサカは目をむいてナルホドをみました。

「話さなくちゃ、読ませてもらえねえってのかい？」

「そんなことはおっしゃっちゃいねえ。だがな、もうこの森しかねえんだ。で、この森となると、このひとたちに助《たす》けてもらわなきゃならねえことになるかもしれねえ。そうだろ。それに、おれはもうこの森でだめならあきらめようって思いかけてるんだ。な、ここで全部《ぜんぶ》話すってのは、最後《さいご》の賭《か》けってやつだ。考《かんが》えてもみろ。いままでずっとなんの手がかりもなかったんだぜ。賭《か》ける場ってものさえなかったんだ。ここはひとつ手もちの札《ふだ》を全部《ぜんぶ》ひらいてみせるときってもんじゃねえかい」

「おめえがそういうなら、おれもそうするよ」

マサカは、しぶしぶうなずきました。

「よし、決《き》まった」

ナルホドは、みんなのほうにむきなおりました。

「ここにくる道での、ふたごのおじょうちゃんの話しぶりでは、どうやらわたしたちがフラフラの宝《たから》をさがしているらしいとみぬかれているようで。ええ、そいつはそのとおりなんで。そのとおりなんですが、それだけじゃねえんで。そりゃ、宝《たから》がほしいってのもありやす。正直《しょうじき》なところ、ね。けれど、わたしたちには、それぞれのじいさんのじいさんの名誉《めいよ》ってやつがかかってるんで」

ナルホドがすこしことばをきると、部屋《へや》のなかは静《しず》まりかえっていました。

「まず、わたしのじいさんのことを、お話《はなし》しやす。名前をシラーといいやした。シラーは船大工《ふなだいく》でした。わたしんちは代々《だいだい》船をつくってたんで。ごぞんじでしょうか。はやりやまいの町とか、神《かみ》かくしの町とかよばれた、造船《ぞうせん》の町に住《す》んでたってわけで」

スキッパーたちは顔をみあわせました。ライターの書いた物語に出てくる町なのです。

「どうしてそんな名でよばれたかというと、ふしぎなことに二年間、その町の人間が全員《ぜんいん》消《き》えていたってことになってるんで。そのあいだ、だれがたてたのか、はやりやまいの町って立て札《ふだ》がたっていたんでやすが、じつはこいつはまちがいで、だれひとり死んじゃいなかったってんで、あとになって、神《かみ》かくしの町とよばれるようになったわけで。

その名でよばれるようになったころ、ようやく町は昔《むかし》どおりの船づくりの仕事《しごと》ができるようになりやした。二年間のことはだれひとり思い出さねえまま、三十年がすぎたと思ってくだせえ。

六十になったシラーは、ふっとあの二年間のことが思い出せるようになったんでやす。どうもあの二年間は森んなかで船をつくっていた、と。で、その船ってのがシラーが二十才《はたち》のころいちどつくった船となにからなにまでおんなじだった、とね。いちどめにつくった船がフラフラの海賊船《かいぞくせん》になったことは有名《ゆうめい》でやした。そういや、あの二年間はフラフラの船が焼《や》きはらわれてしばらくしてのことだった。そうなってくると、ありゃあどうしても、フラフラの術《じゅつ》にあやつられて、森んなかでおんなじ船をつくらされたんじゃねえか、そう思えてしかたがなかったんでさ。シラーはみんなにそのことを話しやした。けれどみんなは笑《わら》いやした。年をとってぼけやがったってね。町を歩《ある》くと、こどもまでがばかにしたんでさ。森で船をつくったシラーさんってね。

シラーの話を信《しん》じたのは、孫《まご》の男の子だけだったんで。それがわたしのじいさんなんでさ。

シラーは思い出せるだけのことを思い出して孫《まご》に話しやした。けれど森がどこにあるのかってことはどうしても思い出せねえ。わかってるのはただひとつ、森までは荷車《にぐるま》をひいて十二日かかるってことだけなんで。

死ぬ前にシラーは孫《まご》にいいのこしやした。おれはみんなに笑《わら》いものにされた。おめえは大きくなったら森んなかの船をさがせ。きっとそこにはフラフラののこした宝《たから》があるってね。

わたしのじいさんは、二十才《はたち》になったとき、荷車《にぐるま》をひいて町を出たんでやす。半

年ほどしてもどってくると船大工《ふなだいく》の仕事《しごと》をし、お金がたまるとまた出かける。こうしてあるときゃ三ヵ月、あるときゃ一年ってふうに、町から十二日の遠《とお》さの森を、しらみつぶしにしらべていいったってわけでさ。嫁《よめ》さんをもらい、娘《むすめ》がうまれ、それでも荷車《にぐるま》をひいて出かけたんで。シラーの血《ち》をひいたおかしいやつだと、町じゃみんなに相手《あいて》にされなかったんでやんすが、それでもつづけやした。

やがて娘《むすめ》が夫《おっと》をむかえ、荷車《にぐるま》をひいて森を歩《ある》くのがつらくなったころ、孫《まご》がうまれやした。これがわたしってわけでね。じいさんはわたしだけにその秘密《ひみつ》をうちあけたんで。四十年のあいだ、ずっともちつづけていた地図にゃ、かぞえきれねえ×印《じるし》がついていやした。わたしは、その仕事《しごと》をつぐことをじいさんに約束《やくそく》したわけでさ。

で、わたしも船大工《ふなだいく》になり、つぎは船乗《ふなの》りになりやしたが、じいさんのまねをして、お金がたまると仕事《しごと》を休んでは、荷車《にぐるま》をひいて出かけることにしたんで。わたしがじいさんとちがったのは、笛《ふえ》が好《す》きだったってことで。森んなかで夜のさびしさをまぎらわせるってえのか、ひとり笛《ふえ》を吹《ふ》いたりしてたんで」

ナルホドはそこで上着《うわぎ》の内《うち》ポケットから、短《みじか》い笛《ふえ》をとりだしてみせました。いつも短《みじか》い笛《ふえ》を身《み》につけてもち歩《ある》いているようなのです。

「で、あるとき、ある町で、旅《たび》の笛吹《ふえふ》きをみかけたんで。それがこのマサカだったってわけでさ。ところがこのマサカが、町のならずものに、せっかくかせいだお金をおどしとられようとしてるんでさ。わたしはうでにゃ自信《じしん》がありやしたから、こいつを助《たす》けてやりやした。

マサカとおなじ宿《やど》にとまって、わたしも笛《ふえ》が好《す》きなんだというと、いっしょに吹《ふ》いてみようってことになりやした。いっしょに吹《ふ》くと、これが悪くねえ。いや悪くねえどころかじつにいいんで。宿《やど》のひとたちが集《あつ》まってきてお金をおいていったくらい。マサカはいっしょに組《く》もうとさそってくれたんでさ。

わたしはそれもいいなと思いやした。笛吹《ふえふ》きでかせげるなら、町に帰《かえ》らずにずっと旅をつづけられるってわけで。けれどそうするにゃ、じいさんの話をこいつにしなけりゃならねえ。出会《であ》ったばかりの笛吹《ふえふ》きに、こんなに大切《たいせつ》な話をしたものかどうかって、わたしは迷《まよ》ってたんでさ。迷《まよ》ってたところに、こいつがとんでもねえ話をしたってわけなんで」

そこでナルホドは、マサカの肩《かた》をぽんとたたきました。

「さあ、おめえのばんだ。話しな」

「あ？　ああ、どう話せばいいかな」

「あの夜、ベッドに腰《こし》かけておれに話したことをそっくり話しゃいいんだよ」

「ああ、そうか。で、なにから話したかな」

「おめえが小さいころ、よくからかわれたりいじめられたりしてたってところからじゃねえか。しっかりしろよ」

「お、わかった、わかった」

マサカはうなずいて、話しはじめました。

「おれはそういう子でね、どっちかっていうと、ひとりで笛《ふえ》を吹《ふ》いたりして遊ぶことが多《おお》かったんだよ。で、ある日ひとりで物置《ものお》きにはいりこんで、なんかおもしろ

いものはねえかなってひっかきまわしてたら、おれのひいじいさまの日記ってやつが出てきたんだな。木の箱《はこ》にいっぱいつまってるんだよ。これがまた、おもしろくねえんだ。まじめなひとがらっていうのか、毎日《まいにち》かかさず印刷《いんさつ》されたみてえな字で、くる日もくる日も書いてるんだよ。

けれどほかには読む本もなくてね、おれは毎日《まいにち》そいつを読んだな。なんか、こう、意地《いじ》みてえによ。で、ひいじいさまのおやじさまが病気になって、もう死ぬってところに、すごいことが書いてあったんだ。

『父《ちち》はもうあまり生きられないと思ったらしい。わたしをよぶと、心のこりなことがあるといった』そう書いてあるんだよ、日記にな。『父《ちち》はずっと海賊《かいぞく》フラフラの宝《たから》をさがしていたらしい。それをついにみつけられなかったことが、どうしても心のこりだというのだ』と、こうだよ。おれはびっくりしちまったよ。『父《ちち》がまだ若《わか》いころ、牢屋《ろうや》のなかで、みょうな浮浪者《ふろうしゃ》といっしょになったらしい』と、こうつづくんだ。

このひいじいさまのおやじさまってひとは、そこまでの日記によると、あんまりたちのいいひとじゃなかったみたいなんだな。まあ、しょっちゅう牢屋《ろうや》ってところに出入《でい》りしてたってひとでな。いや、それほどたいしたこた、しちゃいねえんだよ。名前はコルネってんだ。

で、そのコルネがいつものように牢屋《ろうや》にいるってえと、みょうな浮浪者《ふろうしゃ》といっしょになった、と。『その男は足が不自由《ふじゆう》で、きわめてつかれきっているようにみえた。としは五十くらいにも、七十くらいにもみえた。が、父《ちち》はその顔にみおぼえがあるような気がした。あのフラフラにそっくりだったのだ。それというのも、父《ちち》は以前《いぜん》、フラフラ一座《いちざ》の興行《こうぎょう》をみていて、フラフラが老人《ろうじん》の役《やく》をしていたその顔にそっくりだったという』てんだから、みょうなめぐりあわせじゃねえか。『父《ちち》は、あなたはフラフラではないかとたずねた』こう書いてあるんだが、コルネならそんないいかたはしなかったと思うね。

――だんな、フラフラさんじゃねえですかい。

と、まあ、こういったんだ、きっと。

コルネがそういうと、そいつはうなずきやがった。まてよ、とコルネは思ったね。もしもそいつがフラフラなら、どうしてこんなにみすぼらしいんだろうってね。生きてるんならすごい宝《たから》をもってるはずじゃあねえか。こりゃあきっと、どこかに宝《たから》をかくしてるにちがいねえ。そこでコルネはフラフラに気にいられるように話しかけたってわけだ。

——おれはだんなの大ファンだったんだよ。ハラペーニョ時代《じだい》だけじゃねえ。海《かい》賊《ぞく》になってからも、だんなのやりかたはすばらしかった。

それをきくとフラフラはむっとしたね。

——海賊《かいぞく》じゃない。興行《こうぎょう》だ。

——そうそう、ありゃ海賊《かいぞく》じゃねえ。世間《せけん》でなんといおうと、ありゃあ興行《こうぎょう》だ。ちがいねえ。

そういわれると、フラフラは涙《なみだ》を流《なが》した。それで、泣《な》きながら歌を歌ったっていうんだ。七つの海がどうとかって歌をね。フラフラの気持《きも》ちがおさまるのをまって、コルネは話しかけた。

——ねえ、だんな。あんた、宝《たから》はどうしちまったんで？

——宝《たから》？　わたしの宝《たから》は森のなかだ。

——森のなかで眠《ねむ》ってるってんですかい。もったいない話じゃねえですかい。で、どこの森で？

——森のなかに船がある。

——森のなかに船？　いえ、どこの森なんで？

——乗組員《のりくみいん》は十人。男が六人、女が四人。

——いったい、なんの話なんで？

——『船出《ふなで》だ』そう叫《さけ》べば、船がつれていってくれる。

——つれてってくれる？　どこへ？　だんなの宝《たから》へつれてってくれるんですかい？

『フラフラはくりかえしてこういった。

乗組員《のりくみいん》は十人。男が六人、女が四人。船出《ふなで》だ、と叫《さけ》ぶのだ。

話が通《つう》じたのはそこまでだった。あとはもう、なにをいっているのか、父《ちち》にはわからなかったらしい』ってんだよ。その夜、フラフラはきゅうに苦《くる》しみだして、

『船出《ふなで》だ!』って叫《さけ》んで死んじまったてんだな。

『牢屋《ろうや》から出た父《ちち》は友人《ゆうじん》にそのことを話したが、だれも本気《ほんき》にしなかった。それどころかみんなが父《ちち》を笑《わら》った。父《ちち》はひとりで船をさがしはじめた。さんざん森を歩《ある》きまわったが、みつからなかった。父《ちち》はそれが心のこりだというのだ』

これが、死ぬ前にコルネがおれのひいじいさまに話した、日記に書いてあったことなんだよ。

おれは、これだって思ったんだな。フラフラの宝《たから》を、このおれがみつけてやろう。そうすりゃ、おれをからかってるやつらも、おれのことをみなおすだろうってね。

それからってもんは、なんどもなんどもこの日の日記を読みかえして、とうとうすっかりおぼえちまうほどさ。日記はそのあとも全部《ぜんぶ》読むにゃ読んだが、まじめ一方《いっぽう》

のひいじいさまは宝《たから》なんてさがそうとはこっからさきも考《かんが》えなかったらしいんだよ。で、大きくなると、おれはこんなぐあいに旅の笛吹《ふえふ》きになったんだな。笛《ふえ》を吹《ふ》きながらあちらの森、こちらの森と、船をさがして歩《ある》きまわってさ。船がみつからねえまま時《とき》がすぎてよ。そんなあるとき、ナルホドに助《たす》けられたってわけさ。

かせいだお金を、おどかされてとりあげられるなんてことは、ときどきあったんだよ。おれは、からかわれたりおどかされたりしやすいらしいんだな。助《たす》けられたのはうまれてはじめてだった。うれしかったな。でも、それよりうれしかったのは、ナルホドも笛《ふえ》を吹《ふ》くってことで、いっしょに吹《ふ》くと、そりゃあもう、いい感《かん》じでな。音が重《かさ》なってひびきあう、それだけでもう、おれはこいつを信用《しんよう》しちまってよ、いままでのことを全部《ぜんぶ》話しちまったってわけなんだよ」

「すごい話!」

「そんなふたりが出会《であ》うなんて!」

だまっていられなくなって口をひらいたふたごに、トワイエさんがうなずきながらいいました。

「あの、まだ、話は終《お》わっていない、ようですよ」

みんなはまたナルホドとマサカのほうをみました。

「マサカの話をきいてどんなにわたしがおどろいたか、じゅうぶんに想像《そうぞう》していただけるこってしょう」ナルホドが話をつぎました。

「わたしはおどろきやした。けれどわたしはこのマサカほどひとがよくなかったんで、すぐにわたしの話をマサカにする気分《きぶん》にゃなれなかったんでさ。しばらくいっしょに笛吹《ふえふ》きをしてみよう、そのうちにこの男のことがよくわかるだろう、うちあけるのはそれからでもいい、そう思ったんで。

いっしょに笛《ふえ》を吹《ふ》きながら旅《たび》をしはじめて、半月《はんつき》ほどで、マサカって男はわたしをうらぎるような男じゃあねえってわかりやした。それでようやく、わたしのことを全部《ぜんぶ》話したってわけなんで」

「いや、こいつはひとが悪いんだよ。おれなんか、会《あ》ったその日に全部《ぜんぶ》話しちまってるってのにさ」

マサカが口をとがらせました。

「おめえが、ひとがよすぎるんだよ」

ナルホドがいいかえして、つづけました。

「そのあとわたしたちはずっとふたりぐみでね。くらしに必要《ひつよう》な道具《どうぐ》をぜんぶ荷車《にぐるま》につんで歩《ある》きまわりやした。笛吹《ふえふ》きでお金がたまると森にはいるってわけで。荷車《にぐるま》をひいていけない森は、こりゃあはじめっからさがす必要《ひつよう》はないんで、好都合《こうつごう》ってわけでさ。こうして、わたしがじいさんからもらった地図には×印《じるし》ばかりがふえ、とうとうこそあどの森しかのこっちゃいねえということになったのが、去年《きょねん》の冬のことなんで」

「あ、そうか」

思わずスキッパーがつぶやいて、みんながスキッパーをみました。スキッパーは、はずかしそうにいいました。

「それで、雪の森のなかを歩《ある》きまわっていたんだ」

「そういうわけさ」ナルホドがうなずきました。

「なにかさがしてるんだと思ってた」

「そう。わたしたちの推理《すいり》が正しかった」

またしゃべりだそうとするふたごに、こんどはポットさんが首《くび》を左右《さゆう》にふりました。「まだ話は終《お》わっていないようだよ」

それでみんなはだまって、ナルホドとマサカのほうをみました。

「あれからずっとこの森をしらべてるんでやすが、みつからねえんでさ」

そういってナルホドはためいきをつきました。

「もしかすると、もう船はないんじゃねえかって、おれの悪い頭はときどき考《かんが》えるんでさ。なにしろ船は森の土に半分《はんぶん》うずまってるってんだ。くさらねえようにタールをぬりこめたところで、木でつくった船が百年も、もつかねえ。上に屋根《やね》があるわけじゃねえんだ。くさってくずれて、朽《く》ちはてて、その上に草や木でもはえりゃ、

みつかるわけもねえでしょうが。

けれどおれたちゃ、やめられなかったんでさ。もちろん、宝《たから》はほしい。でも、それ以上《いじょう》に、こいつは、おれたちの人生《じんせい》の宿題ってやつなんでね。考《かんが》えてみりゃ、とほうもねえ話でさ。かりに船がみつかったとしても、おれたちの話を信用《しんよう》する人間が、あと八人必要《ひつよう》なんだ。男ふたりはおれたちでまにあう。あと、男四人と女が四人。それを全部《ぜんぶ》ひきつれて船に乗りこむ、そんなことができるのかって、おれは弱《よわ》気《き》になっちまってたんで。

弱気《よわき》になってたところに、フラフラのことを書いた本があるってえじゃねえですか。読ませてもらいたいってのは、こういったわけなんでさ」

話が終《お》わって、きいていたみんなは、ようやくゆるしが出たみたいに、からだの力《ちから》を抜《ぬ》き、おたがいの顔をみあいました。けれどもギーコさんだけが、いままで話をきいていたままの腕《うで》をくんだ姿勢《しせい》で、ナルホドとマサカをみていました。そして、ぼそりといいました。

「ここにいる者が全員《ぜんいん》いくとなると、あと、女のひとがふたり、か。姉《ねえ》さんと、トマトさん、だな」

え？

みんながギーコさんの顔をみました。ギーコさんはまじめな顔をしています。

ナルホドが、細《ほそ》めた目をぱちぱちさせました。

「そ、そりゃいったい、なんの話で」

「いまここには男が六人、女がふたり。だから……」

ギーコさんのことばをさえぎるようにナルホドが手をふりました。

「だんな、悪い冗談《じょうだん》ですぜ。話をきいていなかったんですかい。頭数《あたまかず》をそろえてもだめなんでさ。船がねえと話にならねえ」

「船は」ギーコさんは胸《むね》の前でくんでいた腕《うで》をほどいてひざにのせ、みんなをぐるりとみたあとで、ナルホドとマサカをのぞきこむようにまっすぐにみて、いいました。

「あるんだ」

6 とつぜんのギーコさんの話

部屋《へや》のなかは、時間がとまったようでした。

「船は……、ある……?」

「そ、そりゃ、いったい……?」

ギーコさんをみつめてこおりついたまま、ナルホドとマサカがようやくそういいました。

「船が?」

「あ、その、フラフラの、船が、ですか」

ポットさんとトワイエさんも、とつぜんのなりゆきに、なんといえばよいのかわからないようでした。

「まさか、わたしたちをかつごうってんじゃないでしょうね」

ナルホドがつぶやくと、ポットさんがふりかえりました。

「ギーコさんは、うそはつきません」そういっておきながら目をギーコさんにもどすとたずねました。

「でも、ほんとかい？　そんな話は、いままでにいちどだってきいたことがないよ」

「いままでにいちどだって話したことはないんだ」

ギーコさんは、まじめな表情《ひょうじょう》をかえません。

「あの」ナルホドが、ごくりとつばをのみこんでいいました。

「もうすこしくわしく話していただくってわけには……」

マサカもがくがくとうなずきました。

ギーコさんはひとつ息《いき》をつきました。

「それをみつけたのは、一年ほど前のことなんだ」

思ってもみなかったギーコさんの話になりました。

「大工仕事《だいくしごと》の材料《ざいりょう》の木をさがすために、森の奥《おく》にはいることがある。大きな木を切《き》りたおしてもって帰るなんてできないけど、小さな細工《さいく》をする木や、枝《えだ》ぶりをいかした仕事《しごと》をするときなんかに、かなり奥《おく》までさがしにいくことがあるんだ。こそあどの森には、崖《がけ》が壁《かべ》のようにつづいているところがあって……」

みんなはうなずきました。

「そのむこうには、いけないものと思ってたんだが、その日、ぐうぜんに大きなトンネルがあるのをみつけたんだ。それをくぐりぬけると、また森がつづいていた。しばらく歩《ある》くと、へんな木がみえた。見張《みは》り台《だい》のついた船のマストのようだった。つるを切《き》りひらいて近《ちか》づくと、それはほんものの船だった」

ナルホドとマサカの口がひらいて、きれぎれに息《いき》をのむ音がきこえました。

「もう、仕事《しごと》のことはわすれていた。その日は船のまわりのつるを切《き》りとった。船をそっくりみえるようにしたくなったんだ。船は古《ふる》いが、乗りこんでくずれるということはなかった。つぎの日から、毎日《まいにち》そこにかよった。船にはいりこんでる木の枝《えだ》やつるを切《き》り、十日《とおか》もすると、船はすっかり姿《すがた》をあらわした。船室《せんしつ》もそうじした。船にかかっていたはしごは、新しくつくりなおした。

船のなかには、十一人ぶんの食器《しょっき》があって、ひとりぶんの食器《しょっき》が出たままだった。船のまわりをしらべると、遠《とお》くないところに井戸《いど》があった。ロープをつけたバケツで水をどんどん汲《く》み出すと、きれいな水がわき出てきた。帆《ほ》なんかはぼろぼろだったが、すっかりそうじがおわると、そこはいちばん好《す》きな場所《ばしょ》になった」

そこですこし間《ま》をおくと、ギーコさんはくちびるのはしでふっと笑《わら》いました。

「はじめから、みんなに秘密《ひみつ》にしておこうと思ってたわけじゃないんだ。はじめはただ船をきれいにしたかった。ところがきれいにしていくうちに、なんていうか、こどものころ物置《ものお》きのかたすみに自分《じぶん》の秘密《ひみつ》の場所《ばしょ》をつくるみたいに、ほっとする場所《ばしょ》っていうか、それをつくってるみたいに思えてきたんだ。

それからあとは、仕事《しごと》のあいまにしょっちゅうそこへいった。船のすいじ場でお茶をいれてくつろいだ。ま、ほっとするんだ。

それにしても、いったいどういうわけで森のなかに船があるのか、ずっとふしぎに思ってた。それが、きょう、その本の話をきかされて、なぞがとけたんだ」

そういって、ギーコさんはうなずきました。

「あ、この本に」トワイエさんは『フラフラの真実《しんじつ》の物語《ものがたり》』を手にして、ナルホドとマサカにいいました。「フラフラが、その、森のなかに、ええ、船をつくったということが、かいてあるんです」

ナルホドは、さっきからずっとあけたままの口をとじようともせず、マサカの肩《かた》に手をかけました。マサカも同《おな》じ顔でナルホドと目をあわせました。

「やっぱり船は、あったんだ」

「やっぱり、この森だったんだ」

「マサカ、おれは夢《ゆめ》をみてるようだぜ」

「おれもそうだよ、ナルホド」

もうがまんできなくなったふたごが、ベッドからとびおりました。

「すてき、すてき、なんてすてき」

「いまから、そこへいこう」

ギーコさんは首《くび》をふりました。

「いや、きょうはもうおそい」

窓《まど》の外《そと》は、きのうとおなじような夕焼《ゆうや》けで、部屋《へや》の空気も赤くそまっています。

ナルホドはギーコさんをみて、すこしかすれた声でいいました。

「そ、それで、わたしたちを、そこへ、その船へ、つれていってくださるんで?」

ギーコさんはうなずきました。

「あす、いこう」

「そ、それで」マサカがあわてていいました。

「あとのふたりの女のひとも……」

「ぼくは姉《ねえ》さんをつれていく」

ギーコさんはポットさんをみました。

ポットさんはうなずくにはうなずきましたが、なんだかふにおちない顔でした。

「トマトさんをさそうのはいいよ。でも、

ちょっとまってくれないか。わからないのは、船が宝《たから》につれていってくれるってことなんだよ。だって、本の最後《さいご》に、たくわえはわずかしかのこっていない、と書かれているんだろ。だから、当然《とうぜん》船を出るときフラフラは、そのわずかなのこりをもって出るじゃないか。するとだね、もう宝《たから》なんてあるとは思えないんだがね」

「うん。船のどこかに宝《たから》がかくされているようすは、ないな」

ギーコさんはきっぱりいいました。

「いやね、だから、船には宝《たから》はねえんでさ」じれったそうにマサカがいいました。

「船が、宝《たから》につれていってくれるんでさ」

「土にうまった船が、かい？」

ポットさんはうたがわしそうにマサカをみました。

ナルホドが、すこしまゆをしかめるようにしていいました。

「ええ、わたしは、そのことについちゃ、ずっと考《かんが》えてきたんですがね。まず男六人、女四人でなきゃいけねえってのがよくわからないんでさ。どうしてその人数《にんずう》でなきゃいけないんだろうってね。それからその、船出《ふなで》だって叫《さけ》ぶこと。ね。それを叫《さけ》べばどうなるってんだろう。考《かんが》えりゃ考《かんが》えるほどわからねえ。もしかすると、それはなにかのなぞかもしれねえ。けれどわたしの考《かんが》えってやつは、やってみるしかねえ、とにかくいわれたとおりにやってみるってことでさ。男六人女四人乗りこむ。そして船出《ふなで》だと叫《さけ》ぶ。それでだめならそれから考《かんが》えよう、そう思っているんでさ」

「そう、それが、いいです」トワイエさんがいいました。

「とにかく、それをやってみましょう。けれどね、ナルホドさん、マサカさん。その、あとで、読めば、わかりますが、この本によると、フラフラは、最後《さいご》のほうではときどき、その、いったりしたりすることが、んん、ふつうじゃない、といいますか、ええ、おかしくなっているようなんですね。ですから、ああ、マサカさんのひいじいさまのおやじさまが、フラフラからきいた話というのが、もしもフラフラがふつうじゃないときに、ですね、きいたんだとすれば、その、船は宝《たから》につれていってくれないかも……」

とつぜんマサカがたちあがりました。

「なんてこった。船がみつかって、男六人女四人も用意《ようい》できるってのに、おれたちが何年《なんねん》も何年《なんねん》もさがしてきたってのに、ひいじいさまのおやじさまがきいた話がほら話で、宝《たから》につれていっちゃくれないって……」

マサカが息《いき》をあらげるのを、ナルホドがなだめて、すわらせました。

「マサカ、おちつきなって。よく考《かんが》えてもみろよ。おれたちゃ、船にめぐりあうこともできなかったかもしれねえんだぞ。船を教えてくれて、人数《にんずう》までそろえてくれようってひとたちに、とりみだしちゃ失礼《しつれい》ってもんじゃねえか。ええ？　ためさせてもらえるだけでも、ありがたいことじゃねえか」

そこまでいってナルホドはみんなをみまわしました。

「もちろん、わたしたちは宝《たから》をおがみたい。手に入れたいんでさ。宝《たから》を手に入れて、ほれ、おれたちのじいさんのじいさんは正しかったんだって、いってやりたいんでさ。けれど、ここまでくりゃ、ためさせてもらえれば満足《まんぞく》しやす。それで、うまくいかなくっても、それならそれでいい。あきらめやす」

「ふむ」ポットさんが正面《しょうめん》からナルホドをみていいました。

「で、もしもだね、もしもだよ。その宝《たから》ってやつがみつかったら、どうする？」

「どうするって、いいやすと？」

「いや、つまり、その宝《たから》はだね……だれのものだい？」

ナルホドは一瞬《いっしゅん》、つまりました。

「……だれのものって、いいやすと？」

赤い空気の部屋《へや》のなかはみょうに静《しず》かになって、みんながナルホドをみました。

ナルホドはちらっとマサカをみて、くちびるをなめました。

「そ、そりゃあ、その、山分《やまわ》けってことになるんじゃねえですかい？」

「山分《やまわ》けっていうと、十人だから、ひとりが十分の一をもらうってことかい？」

ポットさんはまじめな顔でいいました。すわっていたマサカがまたたちあがりました。

「ナルホド、そりゃねえんじゃねえかい？　何年《なんねん》も何年《なんねん》も森のなかをさがしまわって、いや、ひいじいさまのおやじさまからかんじょうすりゃ百年以上《いじょう》もさがしつづけたおれたちと、きょうこの場にいあわせただけってもんが、おなじ分け前《わけまえ》ってのは、そりゃあちょいとおかしいんじゃねえか？」

「マサカ」ナルホドはマサカの肩《かた》をだくようにして、すわらせました。

「いいか？　十人のうち、ひとりでもいやだっていえば、だめになるんだぜ」

「町にいって、ほかのひとをつれてくればいいじゃねえか」

「だれがきてくれる？　もしもきてくれるひとをさがしだせても、その気になりゃ、ここのひとたちがおれたちより先《さき》に、十人そろえて船出《ふなで》だって叫《さけ》んでるかもしれねえぜ」

ポットさんが赤い顔でいいました。

「ぼくたちはそんなことはしないよ」

ナルホドがポットさんに無理《むり》に笑顔《えがお》をつくりました。

「いや、これは、かりにって話ですよ。こいつにわからせてやってるんで」

ずっとおとなたちの話をきいていたふたごが、とつぜんいいました。

「わたしのぶん、ナルホドさんとマサカさんに、半分《はんぶん》あげる」

「わたしも半分《はんぶん》、あげる」

「だって、ずっとさがしてた」

「百年以上《いじょう》もさがしてた」

「ううん、三分の二、あげる」

「わたしも三分の二あげることにする」

そりゃそうだ、とスキッパーも思いました。

「ぼくも、すこしでいい」

「そうだな」ポットさんもうなずきました。

「いい考《かんが》えだ。ナルホドさん、マサカさん、どうです。あなたたちが全体《ぜんたい》の三分の二をとる。のこりをわたしたちで分《わ》ける」

「い、いいんですかい？」

ナルホドは、目を丸《まる》くしました。

「ここのひとたちは、いいひとたちだ」

マサカが顔をくしゃくしゃにして、ぱちんと指《ゆび》を鳴《な》らしました。

「それでいいかい？」

ポットさんがギーコさんとトワイエさんをみて、ふたりはうなずきました。

どうなることかとはらはらしていたスキッパーは、ほっとしました。

「でも」と、トワイエさんがいいました。

「宝《たから》がみつからなくても、ですね、その、がっかりしないように、ええ、しましょうね」

すごいことになりました。まさかこんなことになるとは、スキッパーは思いもしませんでした。

そのあと、ナルホドとマサカはのこって、『フラフラの真実《しんじつ》の物語《ものがたり》』を読むことになりました。ほかのひとは帰《かえ》ることにしました。あすの朝、それぞれお昼《ひる》のお弁当《べんとう》をもって、ポットさんの家に集《あつ》まる予定《よてい》です。ポットさんの家が船にいちばん近《ちか》いとギーコさんがいったからです。

スキッパーは、もういまから、胸《むね》がわくわくしました。森のなかの船ってどんなのでしょう。船は、宝《たから》までつれていってくれるのでしょうか。そして、なによりも、みんなが本気《ほんき》になっていることに、胸《むね》がはずみました。

7 いよいよ、森のなかの船

つぎの日の朝、ポットさんの家にスキッパーがいくと、もう全員《ぜんいん》が集《あつ》まっていて、すぐに出発《しゅっぱつ》ということになりました。

先頭《せんとう》にギーコさん、すぐうしろにポットさんとトワイエさん、そのうしろにふたごとスキッパー、そしてトマトさんとスミレさん、いちばんうしろにナルホドとマサカがつづきました。秋の森は、あちこちに色づいた木があって、ただ歩《ある》いているだけでもたのしいのに、こんなにたくさんのひとで、しかも森のなかの船に宝物《たからもの》をさがしにいくというのですから、スキッパーはもういつもの自分《じぶん》ではないような気《き》分《ぶん》でした。

ギーコさんは森のなかをどんどん歩《ある》いていきます。右か左かと迷《まよ》うことはありません。このあたりのことは、よくしっているようです。

歩《ある》いているうちに列《れつ》がだんだん長くなってきて、あちこちで話がはじまります。森のなかの船がどんなのかと話しながら歩《ある》いているのはふたごです。あちこちを指《ゆび》さし、きのこや薬草《やくそう》の話をしているのはスミレさんとトマトさん。

スキッパーは特別《とくべつ》に耳がよくて、ききたい音だけを正確《せいかく》にきくことができます。どんなにいろんな音があっても、気持《きも》ちを集中《しゅうちゅう》すれば、ひとつの音をききだせるのです。

先頭《せんとう》のギーコさんに、すこしおくれていたポットさんがすっと近《ちか》づくのをみて、なんの話をするのかなと、スキッパーは気をひかれました。

「ギーコさん」ポットさんが話かけています。

「きのう、船があるっていいだしたとき、ぼくはほんとにおどろいたな」

トワイエさんもふたりに追《お》いつきました。

「そう、びっくりしてしまいました。まさかギーコさんが、その、みつけていたなんて、ね。それにしても、ほんとうのところ、秘密《ひみつ》にしておきたかったんではないですか？」

ギーコさんは、トワイエさんをみました。どんな顔をしたのか、スキッパーにはみえません。

ポットさんがいいました。

「ぼくだったら、話さなかったかもしれないな。ずっと自分《じぶん》の秘密《ひみつ》にしておいたかもしれない」そこで声を低《ひく》くしました。

「とりわけあの連中《れんちゅう》にはね。ほら、あのふたりって、どこかうさんくさいところがあるだろ」

どうしてうさんくさいなんて思うんだろ、スキッパーは耳をぴくりと動かしました。ギーコさんはちらりとポットさんをみていいました。

「ぼくは、ふたりの話に心を動かされたんだ。人生《じんせい》の宿題っていったろ。教えてあげなければと思った」

ギーコさんはナルホドとマサカのことを、うさんくさいとは思っていないようです。トワイエさんはふたりのことをどう思っているのかなと、耳をすましましたが、トワイエさんはなにもいいませんでした。それにしても、ポットさんの、うさんくさいということばに、スキッパーはなんだか残念《ざんねん》な気分《きぶん》になりました。

前の三人の話をきくのはやめにして、そのふたりがどんなことを話しているのか、耳のむきをかえてみることにしました。

マサカの声がきこえます。

「……だからおれはよ、フラフラってのはひどいやつだと思ってたんだよな。それがあのライターってやつの書きもんではよ、ずいぶんいいやつじゃねえか。なんだかひとごとじゃねえっていうか、きのどくになっちまってよ。宝《たから》が手にはいったら、ばあっと遊ぼうなんて思ってたのが、ちょいとしんみりしちまったってわけよ」

「そういうふうに思えるってのが、マサカ、

おめえのいいところさ。たしかにフラフラはきのどくだがな。だが、おれはそんなことより、きょうみてえな日がやってきたってことが信《しん》じられねえんだ。考《かんが》えてもみろよ。おれたちがいっしょになって船をさがしはじめて数えきれねえ日がすぎてよ、手がかりさえみつからねえって日が何年《なんねん》も何年《なんねん》もつづいてよ、それがとつぜん、きのう、きょうって日だ。あの書きものが出てきたと思ったら、こんどはその船をしってるってやつがあらわれてだ、おまけに男六人、女四人がそろっちまうってんだ。こりゃできすぎだぜ。そう思わねえか？」

「そうさな、できすぎだな。けどよ、ナルホド」

ここでマサカは声をひそめました。

「ずっと前から、宝《たから》をみつけりゃ、全部《ぜんぶ》おれたちのものにするかどうかって迷《まよ》ってたろ。ありゃあ、どうするんだ？　おれはきのう三分の二をおれたちにくれるってきいたときによ、それでもいいかなって思っちまった。ここのひとたちって、いいひとだなって思っちまったんだ。どうする？　ナルホド」

「いや、おれもずっとそれを考《かんが》えてたんだ。三分の二。悪くねえ。これも、できすぎって感《かん》じだぜ。そこでだ。ものごとが、できすぎみてえにいっているときは、流《なが》れにさからっちゃいけねえ。ここのひとたちがいっているとおりにする手だ。だがな、マサカ、宝《たから》が分《わ》けられるものだったらいいがな」

「分《わ》けられねえ宝《たから》なんて、あるもんか」

「そうさな」

十人そろって手に入《い》れることができる宝《たから》を、全部自分《ぜんぶじぶん》たちのものにするかどうか迷《まよ》っていた、それをきいたときスキッパーはびっくりしました。いまはそうしようとは考《かんが》えていないようなのですが、とにかくそう考《かんが》えたことがあるというのです。

ポットさんの、うさんくさいということばを思い出してしまいました。

「……そういうものは、宝箱《たからばこ》にはいってる」

きゅうに大きくなったふたごの声がスキッパーの耳をとらえました。

「そう、四角《しかく》くて、上が丸《まる》くなってる」

「いろんな国の金貨《きんか》がはいってる」

「宝石《ほうせき》とか、指輪《ゆびわ》とか」

「首飾《くびかざ》りとか、腕輪《うでわ》とか」

「飾《かざ》りのついた剣《けん》とか、つえとか」

「それを三つの山に分《わ》ける」

「そのうちのふたつを、あのふたりがとる」

「あとのを八《やっ》つの山に分《わ》ける」

「まずギーコさんがひとつをえらぶ」

「そう、船の発見者《はっけんしゃ》」

「つぎは……」

ポットさんやナルホドたちの話にくらべるとずいぶんちがいます。

ふたごの声が大きいので、それを耳にしたトマトさんがスミレさんにたずねました。

「宝《たから》って、なんのことなの？」

「きいてないの？　ポットさんから」

「宝《たから》のことなんて、しらないわ。わたしたち、ギーコさんが森のなかで船をみつけたから、それをみにいってるんでしょ？」

「ま、はんぱな説明《せつめい》だこと。あのひとたちって、いつもきちんと話さないんだから。ギーコさんだって、船のこと、ずっとあたしにだまってたのよ。あたしはすこし気《き》分《ぶん》を悪くしてるの」

「ねえ、宝《たから》って？」

「その船がなんでもフラフラって海賊《かいぞく》に関係《かんけい》があるらしいのよ。それで宝《たから》がかくされてるんじゃないかって、あのナルホドさんとマサカさんがずっとさがしてたんだって。ギーコさんにいわせると宝《たから》なんてないはずだっていうんだけどね」

「んま、じゃあ、ピクニックじゃなくて宝《たから》さがしなの？」

「それがふしぎな話なのよ。男六人、女四人で乗りこんで、船出《ふなで》だって叫《さけ》ぶと宝《たから》がみつかるっていうのよ。考《かんが》えられる？」

「それって、おそろしいことがおこるんじゃない？　きっとそうよ。魔法《まほう》がかくされてるんだわ。え？　男六人に女四人？　ちょうどわたしたちの人数《にんずう》じゃない。その人数《にんずう》にあわせるためにわたしたちをつれていくってわけ？　冗談《じょうだん》じゃないわ。そんなおそろしいことにつきあわされるのはまっぴらよ。ポットさん。ポットさん」

おしまいのポットさんとよぶところはとても大きい声だったので、スキッパーは思わずぎゅっと目をつぶってしまいました。

ポットさんがたちどまって、追《お》いついたトマトさんにならびました。

「ほんとうのことを話してちょうだい。これって、海賊《かいぞく》の宝《たから》をさがしにいっているの？　ピクニックっていってたじゃない」

「え？　ああ、そのことね」

「そのことじゃないわよ。どうしてちゃんと話してくれなかったの？　宝《たから》さがしにいくんでしょ」

「うん、まあ、そういう部分《ぶぶん》もあるな」

「そういう部《ぶ》分《ぶん》もあるって？」

「でも、ピクニックみたいなもんだよ」

「海賊《かいぞく》の宝《たから》をさがすなんていうと、わたしがこわがっていかないといいだすだろうと思って、だまってたんでしょ」

「いや、そんなことは……」

「女のひとが四人必要《ひつよう》だからさそったんでしょ」

「あのね、みんながいるところで大きな声を出すのは、みっともない」

「みっともないのはポットさんだわ。だましてつれてくるなんて」

「だますなんて、ひとぎきの悪い……」

「でも、だまってたんだわ」

「あのね、トマトさん。百年以上《いじょう》前の話だよ。船をみつけたギーコさんも宝《たから》なんてないっていってるんだよ。乗りこんで船出《ふなで》だっていったところで、なにかがおこるなんて思えんじゃないか。だからつまりはピクニックなんだよ、これって」

「じゃあ、ぜったいに宝《たから》なんてみつからないのね」

「ぜったいにみつからんとはいえんと思うよ」

「ポットさん、あなたは宝物《たからもの》がほしいの？　いまのわたしたちのくらしが不満《ふまん》なの？」

「そんなことはいってないよ。宝《たから》がみつかれば、それにこしたことはないって話だよ。ほら、トマトさんに、すてきな服《ふく》を買ってあげられる」

トマトさんはすこしだまりました。

「わたしはすてきな服《ふく》なんていらない。海賊《かいぞく》の宝《たから》なんて、きっとみつかってもたたりとかがあるんだわ。宝《たから》なんていらない。平和《へいわ》なくらしがいいの。冒険《ぼうけん》なんて、まっぴら」

とつぜんふたごが口をはさみました。

「宝《たから》ってすてきと思う」

「もってるだけで、たのしい」

「冒険《ぼうけん》もすてきと思う」

「わくわくする」

いつのまにかそばにきていたトワイエさんもいいました。

「あの、トマトさん。ぼくも、その、宝《たから》をほしいとは、あまり、思っていないんです。いや、もちろん、宝《たから》がみつかれば、その、記念品《きねんひん》ぐらいもらってもいい、とは思うんですけれど、ね。それよりも、もし、あるのなら、みてみたいなと思うんで

す、フラフラの宝《たから》をね。わくわくします、ええ。宝《たから》がなくても、船をみる。それだけでも、たのしいでしょうね」

スキッパーは、トワイエさんの考《かんが》えていることは、ぼくの考《かんが》えていることと同《おな》じだ、と思いました。きらきら光る石のひとつぐらいほしいな、と思っていたのです。

「わたしは船だってみたいわけじゃないわ。きっと気味《きみ》がわるい船よ。海賊船《かいぞくせん》なんでしょう」

トマトさんはゆっくり首《くび》をふりました。

先頭《せんとう》のギーコさんは、みんなの足が遅《おそ》くなったので、休憩《きゅうけい》にするといいました。たてに長くなっていた一団《いちだん》がかたまるとそれぞれの場所《ばしょ》に腰《こし》をおろしました。どのくらい歩《ある》いたでしょうか、いつのまにかまわりの木は、古《ふる》い大きな木にかわっているとに、スキッパーは気づきました。すこし汗《あせ》ばんだからだにすずしい風が吹《ふ》き抜《ぬ》けていきます。

「あと、どのくらいでしょう」

ナルホドが服《ふく》のそでで汗《あせ》をぬぐってギーコさんにたずねました。

「これで半分《はんぶん》ほどきたってところかな」

「ギーコさんは大工《だいく》をやってるってんでたずねるんですが、その、木でできた船ってもんが森のなかで、百年も、もつもんですかね」

「木にもよるだろうが、ふつう、むりだろうな」

「それじゃ、その船が、おれたちのさがしてる船じゃねえとは思わないんですかい？」

「ほかにそんなものをつくるひとがいるとは思えない」

「ちがいねえ」

そのとき、木の根《ね》にすわっていたトワイエさんが、うれしそうな顔でたちあがりました。

「いま、あの、おもしろいことに気がつきました」

手には例《れい》の本をもっています。

「いや、ほんとは、歩《ある》きながら気がついていて、その、いま、たしかめてみたんですが、みなさん、いいですか。ここに、フラフラ一座《いちざ》が船に乗りこんだときの、ですね、十一名《めい》のことが書いてある。いいですか、読みますよ」

トワイエさんはそこを読みました。

「どうですか？　ぼくたちに似《に》ていると、その、思いませんか？」

「似《に》てるって？」

ポットさんが首《くび》をかしげました。

「いえ、まず、この、ふたりの楽士《がくし》、音楽家の兄と弟ですがね、それがなんだか、ナルホドさんとマサカさんみたいだなって、ええ、思ったんですよ」

ふたごが口をはさみました。

「兄弟じゃない」

「でも、ふたりの音楽家。それに、ナルホドさんは船乗《ふなの》りだった」

トワイエさんはうなずいて、つづけました。

「で、座付作者《ざつきさくしゃ》の、ライターが、これは、ぼく。大工《だいく》、大道具担当《おおどうぐたんとう》は、ギーコさん、衣装《いしょう》、小道具担当《こどうぐたんとう》は、その姉《あね》だから、ええ、スミレさんですね。で、料理番《りょうりばん》、雑事《ざつじ》担当《たんとう》は夫婦《ふうふ》ですから、ポットさんとトマトさんでしょ。道化《どうけ》はふたりの女優《じょゆう》ですから、そう、ジンジャーとミント、ということに、なりますね」

みんながほほうと感心《かんしん》するなかで、スキッパーは目をぱちくりしていました。

「じゃ、スキッパーは、というと」トワイエさんはにっこり笑《わら》いました。「フラフラ、ということに、なりますねえ」

そうなのです。あと男ではフラフラしかのこっていないことにスキッパーは気づいていました。

「わたし、フルフルがいい」

「わたしも、フルフルがいい」

ふたごが口をとがらせました。

「いやいや、きみたちは道化《どうけ》がにあっていると思うよ」

ポットさんがハンカチをポケットにしまいながらいいました。

「でも、フルフルがいない」

「そう、フルフルがいない」

「そうなんです。それが残念《ざんねん》なんですがね。ぼくは、男六人、女四人というのをきいたときから、その、かんじょうがあわないな、と、思ってたんです。ファンタスマルに乗っていたのは、男六人、女五人なんですから、ええ」

トマトさんが肩《かた》をすくめました。

「トワイエさんたら、数があわないのに似《に》ているとか残念《ざんねん》だとか、へんなことをいって……」

「そ、そうですか？」

ふたごがトマトさんにたずねました。

「トマトさんもフルフルがいい？」

「トマトさんは料理番《りょうりばん》はいや？」

「わたしは料理番《りょうりばん》に不満《ふまん》はないわ。でもわたしはわたしがいちばんいいの。海賊《かいぞく》ごっこなんてたくさんよ」

話をうちきるようにギーコさんがたちあがりました。

「さあ、いこうか」

休憩《きゅうけい》はおしまいになりました。

わたしはわたしがいちばんいい、そうトマトさんはいいました。スキッパーだってスキッパーのままがいいと思います。でも、自分《じぶん》がフラフラの役《やく》になったのは、なんだかうれしいような気分《きぶん》でした。

それからしばらく歩《ある》くと、前方《ぜんぽう》の木々《きぎ》の間《あいだ》に暗《くら》く高い岩壁《いわかべ》がみえはじめました。崖《がけ》です。ギーコさんはどんどん崖《がけ》にむかって進《すす》んでいきます。そしてとうとう崖《がけ》にぶつかりました。崖《がけ》にそって歩《ある》きはじめます。ほんとうに高く切《き》りたった崖《がけ》です。ほとんど垂直《すいちょく》に岩肌《いわはだ》がむきだしになっていて、それがずっとつづいているのです。陽《ひ》が当《あ》たらないせいか、崖《がけ》のところどころ、そして足もとにはシダが大きくしげっています。

「こんなところに、その、トンネルがあるなんて、とても考《かんが》えられませんね」

トワイエさんがそういったとたんに、だしぬけにという感《かん》じで、トンネルがありました。

「こりゃ、すごい」

ポットさんが叫《さけ》びました。ほんとうに大きなトンネルだったのです。入り口がしげった木の枝《えだ》でかくされているようになってはいますが、おとなの背《せ》の高さの二倍《ばい》は楽《らく》にあって、四人が手をつないで横《よこ》にならんで歩《ある》けるほどのトンネルでした。おまけにそれが、むこうの出口まで、三十メートルくらいでしょうか、ほぼまっすぐになっていて、むこうに明るい森がみえているのです。

「だれかが掘《ほ》ったみたい」

ふたごのうちのひとりがいいました。みんなはギーコさんを先頭《せんとう》に、トンネルにはいっていきました。

「これなら、荷車《にぐるま》も通《とお》るな」

小さな声でいったはずのナルホドの声が、わん、とひびきました。なかはひんやりとしています。ときどき岩肌《いわはだ》をつたった水がぽたんと下の水たまりにおちて、それが尾《お》をひいてひびきます。とちゅうで天井《てんじょう》がとても高くなっていたりするところをみると、どうやら自然《しぜん》にできたもののようです。そうしろとはいわれないのに、みんなは静《しず》かに歩《ある》きました。足音がひびきます。むこうがわに出たときは、だれもが大きく息《いき》をつきました。

森のようすはとりわけ変《か》わったようにはみえません。が、どこか明《あか》るくなったような気がします。ふりかえると、こちらがわは崖《がけ》にはなっていません。なだらかな坂《さか》になっているのです。崖《がけ》がないぶんだけ明《あか》るく感《かん》じるのかもしれません。

「よくこんなところをみつけたな」

ポットさんがつぶやきました。トンネルを出てから、どういうわけかみんなはあまりはなれないで歩《ある》きました。

やがて森は、ひと種類《しゅるい》の木が多《おお》くなりました。幹《みき》はそれほど太《ふと》くはないのですが、背《せ》の高い、よくしげった木です。そしてギーコさんがとつぜん足をとめると、前のほうを指《ゆび》さしました。すこしひらけたこずえのむこうに、奇妙《きみょう》にまっすぐつきでた棒《ぼう》のようなものがみえました。

「マストだ！」

トワイエさんが叫《さけ》びました。ふたごがかけだし、スキッパーもつづきました。

そのあたりの地面《じめん》は、ほとんどたいらでした。まわりはつるのある植物《しょくぶつ》と背《せ》の高い木がぎっしりとしげっているのですが、ふたごとスキッパーは、なんにもじゃまされずに走ることができました。まるで道のようです。きっとギーコさんのつけた通路《つうろ》なのでしょう。

きゅうにつるのある植物《しょくぶつ》が広くかりとられた場所《ばしょ》に出て、ふたごとスキッパーは、思わずたちどまりました。

船がありました。背《せ》の高いしげった木に囲《かこ》まれて、帆《ほ》がぼろぼろになった帆船《はんせん》が草の地面《じめん》に浮《う》かんでいたのです。

足をとめたふたごにぶつかりそうになったスキッパーに、さらにトワイエさんたちがぶつかりそうになってたちどまりました。やはり走ってきたのです。ひとかたまりになったみんなは、声もなく、森のなかの船をながめました。

船体《せんたい》の表面《ひょうめん》は白っぽく朽《く》ちているようにみえました。ぼろぼろになった帆《ほ》や帆《ほ》げたにからまるようにあちこちに切《き》れたロープがたれさがっています。

ゆっくり歩《ある》いてきたギーコさんがみんなに追《お》いついて、ナルホドの横《よこ》にたち、小《こ》声《ごえ》でたずねました。

「これなんだけど?」

「信《しん》じられねえ」ナルホドはつぶやくようにこたえました。「たしかにこれだ。中《ちゅう》央甲板《おうかんぱん》の前にひとつ、後《うし》ろにふたつの甲板《かんぱん》、三本マストの前二本が横の帆《ほ》で後《うし》ろの一本がたての帆《ほ》……。じいさんのいったとおりだ。じいさんのじいさんは、うそつきじゃなかったんだ」

「これが、百年以上《いじょう》もこうしてのこっていたっていうんだね」

ポットさんの小声《こごえ》に、トワイエさんもささやき声《ごえ》でこたえました。

「とても信《しん》じられませんね」

ギーコさんはゆっくりと船に近《ちか》づきました。中央甲板《ちゅうおうかんぱん》の横《よこ》に新《あたら》しいはしごがかかっています。はしごの前でとまると、みんなのほうをふりむいてうなずきました。

「みんなが乗りこんでもだいじょうぶ。しっかりしてる。でも、マストにはのぼらんほうがいいだろう」

ギーコさんがはしごをのぼりだしたところで、やっとみんなは静《しず》かに船に近《ちか》づきました。スキッパーは船腹《せんぷく》をさわってみました。雨と風にさらされた板《いた》の表面《ひょうめん》は木目《もくめ》が洗《あら》い出されたようになっていますが、ギーコさんのいうとおりしっかりしています。

みんなはおそるおそる、といった感《かん》じで、はしごから、中央甲板《ちゅうおうかんぱん》に乗りこみました。

トマトさんとスミレさんだけは乗りこまず、すこしはなれたところで、じっとみまもっています。

甲板《かんぱん》は色づいた木の葉がすこし散《ち》らばっていました。ギーコさんはいつもそうしているみたいに木の葉をひろって船の外《そと》にすてました。

「みょうな感じだぜ。船がゆれないで地面《じめん》にうまってるってのは」

ナルホドがつぶやきました。

はじめはじっとつったって、まわりをみているだけでしたが、やがてみんなはすこしずつ動きだしました。帆《ほ》やロープはぼろぼろですが、甲板《かんぱん》はきれいにそうじされています。前の甲板《かんぱん》にのぼり、後《うし》ろの甲板《かんぱん》にのぼり、甲板《かんぱん》の下の船室《せんしつ》にはいり、窓《まど》をあけてみたり、あちこちにさわってみたりしました。

もちろん、スキッパーはこんな船に乗りこんだのは、はじめてでした。なにもかもめずらしくみえました。船室《せんしつ》の天井《てんじょう》が低《ひく》いことも、天井《てんじょう》や壁《かべ》のはりや柱《はしら》が太《ふと》くてがんじょうにできているのも、とてもすてきに思えました。内部《ないぶ》の木は外側《そとがわ》よりもずっとしっかりしているようです。

ひとが住《す》んでいたようにみえるのは船尾側《せんびがわ》のふた部屋《へや》と、広間《ひろま》と台所《だいどころ》だけでした。台所《だいどころ》にはギーコさんのいったとおり、十一人分《ぶん》の皿《さら》やカップがありました。

スキッパーが台所《だいどころ》をみていると、ナルホドとマサカがせかせかとはいってきて、戸棚《とだな》をあけたり、壁《かべ》をこんこんと指《ゆび》でたたいてみたりしてから、顔をみあわせ、首《くび》をふって出ていきました。ふたりが出ていくといれちがいにふたごがやってきて、ナルホドとマサカがしたのと同《おな》じことをして、やはり首《くび》をふって出ていきました。

どうやら、宝物《たからもの》をみつけようとしているようです。船のなかには宝物《たからもの》なんてないとギーコさんがいっていたのに、自分《じぶん》の目でたしかめないと気がすまないらしいのです。

台所《だいどころ》を出ると、ふたごが船倉《ふなぐら》におりていくところでした。スキッパーもついていくと、うすぐらい船倉《ふなぐら》には、ランタンをもったナルホドとマサカがすでにあちこちしらべているところでした。ランタンはきっと船にあったのでしょう。船倉《ふなぐら》はみご

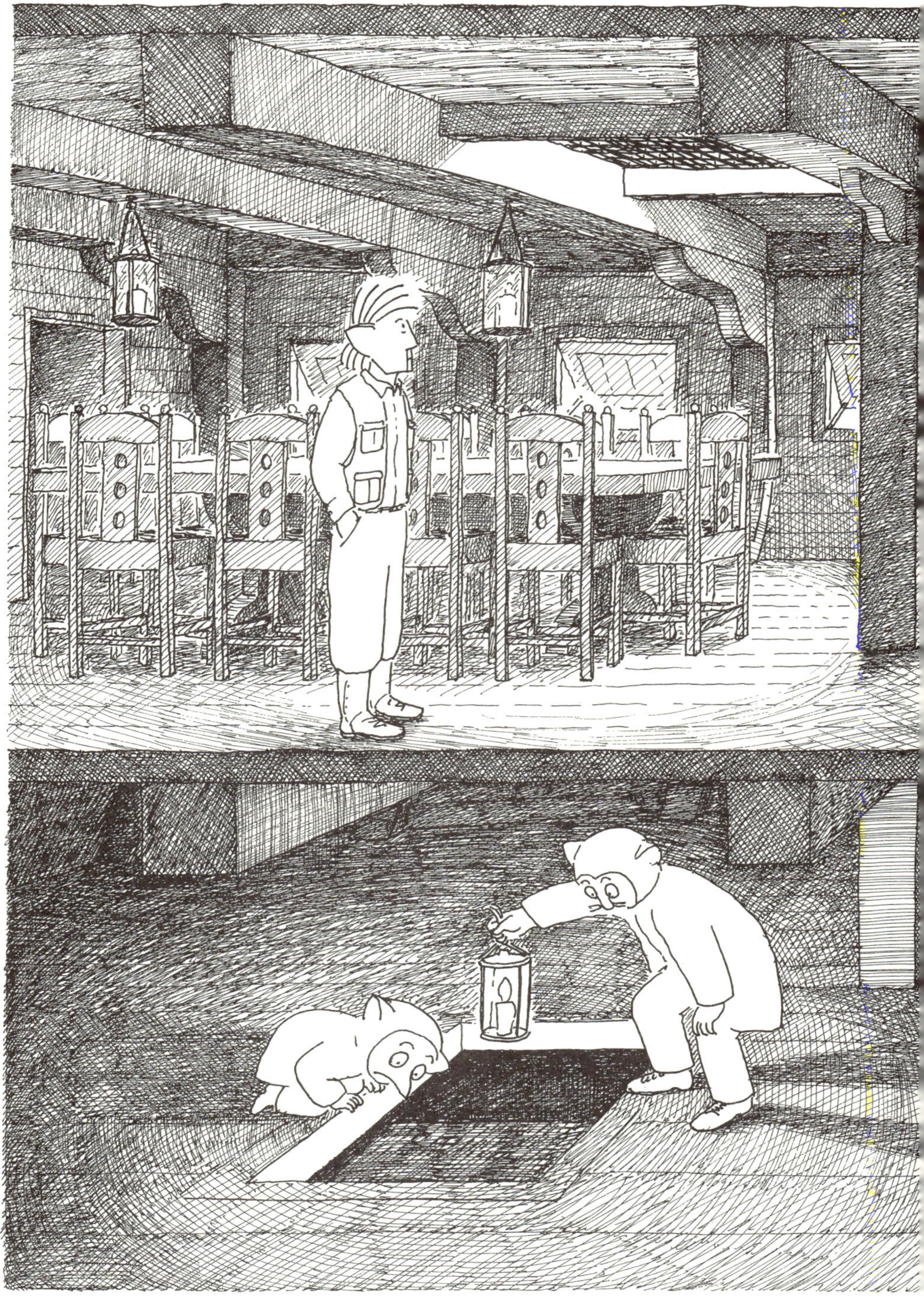

とにからっぽでした。船倉《ふなぐら》のさらに底《そこ》にも何《なに》かを入《い》れるところがありました。ナルホドにいわせると、海に出るにはそこにおもりの石を入《い》れるのだそうですが、そこもからっぽで、しめったにおいがしていました。

やがて船のなかをさがしまわったみんなは、中央甲板《ちゅうおうかんぱん》に集《あつ》まってきました。

「宝物《たからもの》は、船のなかにはないようだね」

ポットさんがいいました。

「例《れい》のことばをやってみましょうぜ」

ナルホドが、まだ船に乗ってこないトマトさんとスミレさんのほうをちらちらとみながらいいました。

「あの、乗りこんで、みませんか?」

トワイエさんが、船《ふな》べりからふたりに声をかけました。

「気味《きみ》が悪いわ」

トマトさんが首《くび》をふりました。スミレさんはだまっています。

「船をみにくるっていってたでしょう。乗るなんてきいていないわ」

トマトさんはそういって、バスケットから赤い大きな布《ぬの》をとりだし、ひろげてすわりこんでしまいました。

「それより、お昼《ひる》にしましょうよ。わたし、おなかがすいてきた」

船べりに乗りかかるようにして下のふたりをみていたマサカが、甲板《かんぱん》のみんなに、うったえるような目をむけました。

「こりゃ、どういうこってす？　ここまできて、乗りこんでくれないってことがあるんですかい？　おれのひいじいさまのおやじさまがきいてきたことばを、ためさせちゃくれないんですかい？」

「マサカさん、ちょっとまってください」ポットさんがすまなそうな顔で船の下にはきこえないぐらいの小声《こごえ》でいいました。「トマトさんがああいうふうにいいだすと、すぐに考《かんが》えが変《か》わるってことはないと思います。ここはひとつ食事ってことにしちゃくれませんか。食べれば気分《きぶん》が変《か》わるってこともありますから」

「そうですね」トワイエさんもマサカとナルホドをみながら小声《こごえ》でいいました。

「そのあいだに、その、ひとつ、あのひとたちが、乗りこんでくれるような話を、ええ、してみましょう」

なにかいいいたそうに口を半開《はんびら》きにしているマサカに、ナルホドが二、三度うなずいて肩《かた》をぽんとたたきました。

スキッパーは、たしかにおなかもすいてはいましたが、どちらかといえば「船出《ふなで》だ」をやってほしい気分《きぶん》でした。といっても、全員《ぜんいん》乗りこんでそのことばをいったところで、なにかがおこるようなふんいきはありませんでした。秋の森のなかの船はたしかに奇妙《きみょう》なながめでしたが、どっしりとおちついていて、ふしぎがおこるようにはとても思えなかったのです。

船からおりてみんなは食事にすることにしました。ギーコさんとポットさんは近《ちか》くの井戸《いど》から水を汲《く》んできて、船のかまどでお茶をわかしました。そのあいだもナルホドとマサカは船のまわりをこんこんとたたいたりして、なにかかくされているようすはないかとしらべていました。

赤い布《ぬの》にすわりこんだトマトさんとスミレさんのとなりに腰《こし》をおろして、トワイエさんは『フラフラの真実《しんじつ》の物語《ものがたり》』の本をみせ、そこに書かれていることや、ナルホドとマサカがどういうわけで船や宝《たから》をさがしていたのかということを話しました。スキッパーとふたごも布《ぬの》のはしにすわって、お茶をわかす煙《けむり》が船からのぼるのをみながら、トワイエさんの話をききました。

トワイエさんは、ふたりに船に乗ってやってくれとはひとこともいいませんでしたが、ナルホドとマサカが、そのおじいさんのおじいさんからの願《ねが》いをひきついでくらしてきたこと、ふたりの人生《じんせい》の宿題ということばに心を動かされてギーコさんが船のことを教えた、ということに力《ちから》をいれて話しているように、スキッパーにはきこえました。

お茶がわいて、ギーコさんとポットさんが船にあった十人分《ぶん》のカップと大きなポットをもって船からおりてきて、食事になりました。

スキッパーはポケットに入《い》れてきたクラッカーとチーズを食べました。でも、それよりも、くばってもらったホーローびきのカップが気になりました。もしかするとフラフラが百年以上《いじょう》前に使《つか》ったカップかもしれないのです。船をみあげると、わずかの風に帆《ほ》げたからぶらさがった帆《ほ》とロープがゆるやかにゆれています。百年以《い》上《じょう》前に、フラフラはこの船でくらし、このカップでお茶をのみながら、ぴんとはった帆《ほ》や、しっかりとつながれたロープをみあげたかもしれません。

サンドイッチを食べ終《お》わったポットさんがトマトさんにいっているのがきこえました。

「もしも宝物《たからもの》がみつかったら、三分の二をナルホドさんとマサカさんにあげてだね、あとの三分の一をみんなで分《わ》けようっていってるんだ」

「でも、宝物《たからもの》なんてないんでしょう？　トワイエさんにきいたけど、もうたくわえはわずかだって書いてあったんだから」

「それはライターってひとが書いた話だろ？　フラフラがこっそりと宝《たから》をかくして

いたとすればどうかね」

「でも、ないんでしょう？」

「いまのところ、みつからん。でもね、マサカさんのひいじいさまのおやじさまがきいた話ってのを、まだためしていないんだよ」

「みんなが乗りこんで船出《ふなで》だって叫《さけ》ぶんでしょう？　あのねえ、ポットさん。あなたはそんなことをしたら、なにかがおこると思ってるの？」

ポットさんはしばらくだまりました。ジャムのパイを食べ終《お》わったふたごが船に乗りこんで遊んでいます。

「ほんとうのところをいうとね、なにかがおこるかもしれないと思ってたんだ、ぼくは。つまり、フラフラは魔術師《まじゅつし》だったからね。けれど百年以上《いじょう》前の話だし、そんなことばひとつで、この船になにかがおこるようには思えん、というのが、いまのところの正直《しょうじき》な気持《きも》ちだね」

その話をひきとるように、となりにすわっていたギーコさんがスミレさんに話しかけました。

「ぼくは何度《なんど》もここにきた。ふしぎなことなんて、なにもおこらなかった。もしもふしぎなことがあったとすれば、なんだかとても気分《きぶん》がおちつくってことかな。だからみんなが乗りこんで船出《ふなで》だなんていったところで、なにもおこらないだろうと、ぼくも思う。でも、ずっとそのことを考《かんが》えてきたマサカさんとナルホドさんのためにはいちどそれをやってあげたいんだ」

「あたしは乗らないなんていってないのよ」スミレさんがいいました。「あたしは、こんなにすてきな船があることを、どうしてずっとあたしにだまってたのかって、思ってるだけなのよ、ギーコさん」

「すてきな、ですって？」

トマトさんが話にわりこみました。

「すてきって思えるの？　このぼろぼろの船が」

「すてきよ。ときどきやってきたいくらいだわ」

「姉《ねえ》さん、だまっていたことは悪かった。あやまるよ」ギーコさんが話をもどしました。「じゃあ、姉《ねえ》さんは乗ってくれるんだね」

「だから、乗らないなんていってないでしょう」

これであとひとりだ、とスキッパーは思いました。すこしはなれたところでかたそうなビスケットを食べ終《お》わったナルホドとマサカも話をきいていたようで、ちらっとおたがいの顔をみあいました。

「どうだろう、トマトさんも乗ってやってくれないだろうかね」

ポットさんが小声《こごえ》でいいました。トマトさんはだまってみんなをみまわしました。そこにいるだれもがトマトさんをみていました。なにがおもしろかったのか、船の上で遊んでいたふたごが声をあげて笑《わら》うのがきこえました。トマトさんはためいきをつきました。

「わたしが乗っても、なにもおこらないわよ。もしかするとはしごが折《お》れるかもしれないけれど」

「あのはしごはだいじょうぶだ」

ギーコさんがトマトさんの大きめのからだをみながらいいました。

「でも、乗ってもなにもおこらないでもいいの？」

「いいよ。乗ってくれる？」

トマトさんはちらっと船をみて、ひとつ息《いき》をついて、いいました。

「いちど、だけよ」

はじかれたようにナルホドとマサカがたちあがりました。

「ありがてえ」

「いちどだけよ」

トマトさんはもういちどいいました。

「ありがとう」

ポットさんは、トマトさんのほっぺたにキスしました。

8　そして、フラフラの宝《たから》

中央甲板《ちゅうおうかんぱん》に十人がたつと、もうナルホドとマサカはこうふんをかくしきれませんでした。きょろきょろまわりをみたり、もうわかっているのに男六人、女四人、などとかぞえたり、手の汗《あせ》をズボンでふいたりしています。

「さあ、やってみてください」

ポットさんがふたりにうなずきました。ナルホドとマサカはおたがいの顔をみました。

「や、やってみろよ」

ナルホドがいうと、マサカは目を丸《まる》くしました。

「お、おれが、かい？」

「おまえのひいじいさまのおやじさまがきいたんだろ」

「お、おれにやらせてくれるのかい？　おれはてっきりおめえがやるもんと思ってたよ」

「いいから、やれよ」

「よ、よし。やる」

マサカはごくりとつばをのみこんで、大きく息《いき》をすいこみました。

「船出《ふなで》だあっ！」

かん高いマサカの声がひびくと、近《ちか》くのこずえにとまっていた鳥がばさばさっと飛《と》びたち、それにおどろいて何人《なんにん》かが、首《くび》をすくめました。いったいなにがおこるのか。息《いき》をつめてまちました。耳をすまし、そっとまわりのようすをうかがい、じっとまちました。やがてひとりがほうっと息《いき》をはき、ふたり、三人と首《くび》をふり、はりつめた空気がゆるんでいきました。

「ふ、船出《ふなで》だあっ」

マサカはもういちど叫《さけ》んでみました。森は静《しず》まりかえっています。

「ナ、ナルホド、やっぱりおめえだよ、やってくれよ」

マサカは、おどおどとナルホドにすがるような目をむけました。ナルホドは、すこしまゆをよせて、一歩《いっぽ》前に出て、両《りょう》うでをひろげました。

「船出《ふなで》だあっ！」

大きな声がひびいて消《き》えました。なにも変《か》わりはありません。とつぜんふたごのうちのひとりが、つづいてもうひとりが叫《さけ》びました。

「船出《ふなで》だあっ」

「船出《ふなで》だあっ」

なにも変《か》わりはありません。

「船出《ふなで》だあっ」

とつぜんポットさんまで叫《さけ》びました。みんな、顔をみあわせて、そして目をそらせました。

「あ、あの、みんなでいっしょに、その、男六人、女四人で、いうのはどうでしょう」

トワイエさんが、元気《げんき》づけるように提案《ていあん》しました。

「そ、そうだ、それがいい。やってみよう」

ポットさんがなんどもうなずいて、音頭《おんど》をとりました。

「いち、にの、さんっ」

「船出《ふなで》だあ——っ」

十人の声がひびいて消《き》えました。

これはやっぱりだめなんじゃないか、だれも口にはしませんでしたが、みんなの目がそういっているようでした。とつぜんマサカがひざをつきました。うつむいてひざをにぎりしめ、肩《かた》をふるわせました。みんなは悪いことでもしたみたいに、マサカからすこしはなれました。ナルホドがマサカに近づこうとすると、マサカはきゅうに涙《なみだ》の顔をあげ、叫《さけ》びました。

「ふ、ふ、船出《ふなで》だあっ」

マサカは甲板《かんぱん》につっぷして、声をあげて泣《な》きだしました。

「船出《ふなで》だ、船出《ふなで》だ、船出《ふなで》だ……」

泣《な》きながら、マサカは叫《さけ》びました。それをきくだけで、スキッパーは胸《むね》がいっぱ

いになりました。ひいじいさまのおやじさまがフラフラからきいたことばを信《しん》じて、いままでずっとくらしてきたのです。それはいったいなんだったのでしょう。

ナルホドがしゃがみこんでマサカの肩《かた》に手をかけました。

「マサカ、やるだけのこた、やったじゃねえか。な」

ナルホドの顔もくしゃくしゃになっていました。

「いや、これは、その、残念《ざんねん》だったですね」

だれにともなくつぶやくようにいいながら、トワイエさんは、ゆっくりとスキッパーの横の船《ふな》べりに近《ちか》づいて、船《ふな》べりに両《りょう》ひじをかけ、森の木々《きぎ》をながめました。

「もういちどここからこのながめをみることができるなんて、わたしにはとても考《かんが》えられなかったな。呼《よ》びもどしてくれてありがとう、感謝《かんしゃ》してるよ、フラフラ」

そういって、首《くび》をひねるようにスキッパーをみたトワイエさんは、スキッパーと目をあわせて、ぎょっとしました。みんなが、とつぜんみょうなことを口にしたトワイエさんをみました。けれどいちばんおどろいたのはトワイエさんでした。

「あ、あの、その、ぼくは、いま、へんなことを、ええ、しゃべってしまいましたね。ど、どうしたんでしょう」

おどろいた顔をしていたのはそこまでで、すっとトワイエさんは背《せ》すじをのばし、こんどは船《ふな》べりに背《せ》と両《りょう》ひじをかけて、みんなをみわたしました。

「きみたちははじめてだったね。わたしとフラフラでつくったんだ。第《だい》二ファンタスマルってわけさ。前のファンタスマルと同《おな》じだ。どうだい、なつかしいだろう」

そういったあとで、自《じ》分《ぶん》の口に手をあて、目を丸《まる》くしました。だれもがトワイエさんをみていました。甲《かん》板《ぱん》につっぷしていたマサカも、おどろいて、顔をあげました。

「ト、トワイエさん、ど、どうかしたのかい?」

ポットさんが、その場を動かずにたずねました。

「い、いや、その、ぼくは……」

トワイエさんはそういいかけたあと、また、いつもとちがうしゃべりかたでつづけました。

「みんなと会《あ》えてうれしいよ。どうしたんだ、陽気《ようき》にやろうぜ。さあ、音楽家たち、例《れい》の曲《きょく》をやってくれ。わたしはきみたちの演奏《えんそう》をずいぶん長いあいだきいていないのさ。ほかのみんなもそうだと思うよ、さあ、やってくれ」

トワイエさんが冗談《じょうだん》をいっているのではないことはあきらかでした。

「トワイエさん？　あなた、いったい……」

スミレさんがトワイエさんに近《ちか》づこうとしました。けれど、マサカとナルホドが上着《うわぎ》の内《うち》ポケットから、それぞれの短《みじか》い笛《ふえ》をさっととり出すのをみて、足がとまりました。

マサカとナルホドは、目で合図《あいず》すると、軽快《けいかい》でどこかふしぎな感《かん》じの曲《きょく》を吹《ふ》きだしました。

そのとたんにふたごが歌いだしました。

「七つの海のそのむこう」

そしてリズムをとりながら前の甲板《かんぱん》にむかって歩《ある》きだしたのです。

「八番目の海　フラフラの海」

ひとりは右の階段《かいだん》を、もうひとりは左の階段《かいだん》をのぼっていき、前の甲板《かんぱん》の中央《ちゅうおう》で出会《であ》うとひらりと手すりにとびのりました。

「あ、あぶない」

トマトさんが声をあげました。ふたごは笑顔《えがお》で歌っています。

「七つのふしぎの　そのむこう
八番目のふしぎ　フラフラのふしぎ」

手すりの上で両手両足《りょうてりょうあし》、肩《かた》と腰《こし》をゆする踊《おど》りは、ちょうどふたりのまんなかに鏡《かがみ》をたてたようで、ぴたりときまっているのです。

「海はふしぎに恋《こい》してる
ふしぎも海に恋《こい》してる」

そこまで歌うと手すりから後《うし》ろ向《む》きに一回転《いっかいてん》して、むこうがわの甲板《かんぱん》にひらりととびおりました。トワイエさんだけがふたごに拍手《はくしゅ》をおくりました。

「ブラボー、ブラボー、すばらしい。すこしもおとろえていないね、きみたちは。ハニー、よかったよ」

ふたごのひとりがトワイエさんにキスを投《な》げました。

マサカとナルホドは顔をみあわせました。

「いまの曲《きょく》はなんだ？」

「おりゃ、しらねえ、はじめて吹《ふ》いた」

「おれもだ。いったい、どうしちまったんだ」

前《まえ》の甲板《かんぱん》でふたごがふしぎそうに顔をみあっていました。

「いま、わたしたち、すごいことをした」

「した」

「それに、しらない歌を歌ってた」

「歌ってた」

トマトさんがポットさんをかかえるようにして船《ふな》べりに突進《とっしん》しました。

「へんよ。へんよ。はやくこの船からおりなきゃ、みんなおかしくなってしまうわ」

ちょうどその横にたっていたトワイエさんがトマトさんとポットさんをみていいました。

「やあ、元気《げんき》だったかい？　どうしたんだ？　なにか食べるものでもくばってくれなきゃ」

いわれたとたんにトマトさんは、にっこり笑《わら》いました。

「ぶどうがあるのよ、ぶどうが。いえね、こんなことになるってわかってりゃ、どっさりとごちそうを用意《ようい》できたんだけどさ、なにしろとつぜんでしょ。ぶどうでがまんしてちょうだい。さあ、あんた、あそこにぶどうがあるから」

「よしきた」

ポットさんはすばやく船からおりて、下の地面《じめん》の布《ぬの》の上のバスケットをかかえてもどってきました。そしてふたりはバスケットからぶどうをとりだし、みんなにひとふさずつくばりだしました。

「ちょっと、トマトさん！」

スミレさんはぶどうをおしつけられながら、トマトさんの目をのぞきこみました。

「トマトじゃないのよ。ぶどう」

スミレさんは、口をぽかんとあけたまま、トマトさんがむこうへぶどうをくばりにいくのをみおくりました。

「ポットさん！」

ギーコさんが、ぶどうをくばるポットさんによびかけたとき、スキッパーはふっと、フルフルがいない、と思って、どきっとしました。一瞬《いっしゅん》のことでしたが心のなかにたしかに重《おも》い悲《かな》しみが浮《う》かんで消《き》えました。いまのはなんだったんだろうとまわりをみました。でも、だれもスキッパーには注意《ちゅうい》していないようでした。

「みんな、どうしたんだ？　船をおりたほうがいいんじゃないか？」

ギーコさんがさけんで、トワイエさんが、ぶるっと頭をふりました。

「こ、これは、その、なにがおこるか、わかりませんね。ポットさん！　トマトさん！」

ポットさんとトマトさんはすっかり別《べつ》のひとになりきっていて、ふたごとなつかしそうに話しこんでいます。ふたごは話のあいだも、ずっとからだを動かしていて、ぽんととんぼがえりをしてみせたりするのです。

「とにかくみんなを船からおろそう」

ギーコさんがトワイエさんのひじのあたりに手をかけていいました。

「船からおりるというのは、このフラフラ一座《いちざ》からおりるということかい？」

「トワイエさん！」

ギーコさんはトワイエさんのひじから手をはなし、一歩《いっぽ》あとずさりしました。スキッパーはもう頭のなかがこんがらかって、どうすればいいのかわかりません。けれど、さっきふと感《かん》じた悲《かな》しみが胸《むね》につかえているのだけはわかりました。

「姉《ねえ》さん、みんなを船からおろそう。まずみんなをここに集《あつ》めるんだ」

「集《あつ》めて寸法《すんぽう》をはかるのね。こんどのだしものは全員《ぜんいん》が登場《とうじょう》するの？　ライター」

ライターというところは、スミレさんはトワイエさんにむかっていいました。

「姉《ねえ》さん!」

ギーコさんはスミレさんからも一歩《いっぽ》しりぞきました。

「それもいいな」

こちらにきていたふたごのひとりの肩《かた》をだいていたトワイエさんは、スミレさんをみてにっこり笑《わら》いました。

「ギ、ギーコさん」

ぼうぜんとつったっていたギーコさんは、スキッパーによばれて、おっという顔をしました。

「スキッパー、きみはまともなんだな」

「お、おれもまともだぜ」ナルホドが叫《さけ》びました。

「だが、こいつはへんだ」

マサカがぶどうを食べながらポットさんと話しています。

「ぼくはあれから北の国へいったのさ。きみのうわさはきいたぜ。料理店《りょうりてん》をひらいたんだってな」

ナルホドはマサカを指《ゆび》さして首《くび》をふりました。

「ぼくは、なんていってやがる。こりゃあきっとフラフラ一座《いちざ》の連中《れんちゅう》がおれたちにとりついちまったんじゃねえか」

ナルホドがそういったとたんにギーコさんの、スキッパーをみる目が変《か》わりました。

「すこしも変《か》わっちゃいないな、フラフラ。フルフルはどうしたんだ？」

フルフル、という名をきいたとたん、スキッパーの胸《むね》のなかに、さっきの重《おも》い悲《かな》しみが、さっきよりももっと暗《くら》くふくれあがりました。遠《とお》くのほうでだれかが、ギーコさんとか、スキッパーとか叫《さけ》んでいるのがきこえました。

「フルフルは、死んでしまったんだよ」

そういっている自分《じぶん》を、スキッパーは遠《とお》くで感《かん》じていました。

「あのあと、しあわせにくらしたか？　カーペンター」

話しかけながらスキッパーは、フラフラ一座《いちざ》の大工《だいく》さんはカーペンターと呼《よ》ばれていたんだ、とかすかに思いました。

「おれは手に職《しょく》があるからな。たくわえをへらさずにこつこつってやつさ」

カーペンター・ギーコさんはなつかしい顔で笑《わら》ってみせました。

「音楽を！」だれかが叫《さけ》ぶ声がきこえました。一本の笛《ふえ》が、フラフラ一座《いちざ》の歌をはじめると、一度だけ、「おい、マサカ」と叫《さけ》ぶ声がきこえ、そのあとすぐにもう一本の笛《ふえ》がそれに重《かさ》なってきました。道化《どうけ》の女の子が踊《おど》りながら歌いだすと、料理番《りょうりばん》の夫婦《ふうふ》もカーペンターも、衣装係《いしょうがかり》も、次々《つぎつぎ》に歌にくわわりました。

ライター・トワイエさんがやってきて、フラフラ・スキッパーにささやきました。

「さあ、いこうぜ」

フラフラ・スキッパーはうなずきました。そして手にもっていたぶどうをバスケットにもどすと歌声《うたごえ》に負《ま》けない声で叫《さけ》びました。

「船出《ふなで》だ!」

そのとたん、船が大きくゆれはじめました。フラフラ・スキッパーは船《ふな》べりに手をかけ、外をみました。草の地面《じめん》がうねっています。ぐうんともりあがっては、ちぎれた草をとびちらせて沈《しず》んでいきます。木のきしむ音、ロープがどこかにこすれる音がして、船にみるみる力《ちから》がみなぎってくるのがわかりました。

ぼろぼろだった帆《ほ》がいつのまにかぴんとした布《ぬの》になり、たれさがったロープも新しく張《は》られ、マストのてっぺんにはファンタスマルとかかれた旗《はた》がひるがえっています。

いつのまにか音楽がやみ、左右《さゆう》にゆれる船の上は波《なみ》の音と風にばたばたする大きな帆《ほ》の音でいっぱいです。

舵《かじ》のところにいっている楽士《がくし》・ナルホドを目でたしかめて、フラフラ・スキッパーは両手《りょうて》をメガホンにして叫《さけ》びました。

「右舷《うげん》のシートをゆるめろ!」

さしずをまっていたように、男も女もてきぱきと動きました。

「左舷《さげん》のシートを張《は》れ！」

「右舷《うげん》のタックを張《は》れ！」

帆《ほ》が斜《なな》めになるといままでばたばたいっていたのがばんと風をうけ、船がゆっくり進《すす》みはじめました。前方《ぜんぽう》の高くしげった木々《きぎ》が左右《さゆう》に分《わ》かれ、地面《じめん》を左右《さゆう》におし分けてファンタスマルは進《すす》みます。草地《くさち》におかれた赤い布《ぬの》がみるみるうねりにゆられて後《うし》ろへ遠《とお》ざかっていきます。

森の木々《きぎ》は地面《じめん》が波《なみ》うつのと同《おな》じに上下左右《じょうげさゆう》にゆれました。ファンタスマルの進路《しんろ》は両《りょう》びらきのカーテンがひらくように木々《きぎ》が左右《さゆう》に分《わ》かれていきます。

フラフラは前の甲板《かんぱん》にたち、みんなにむかって叫《さけ》びました。

「いまこそわたしの宝《たから》をみせてあげよう！」

そういいながら、よくわからない気持《きも》ちが胸《むね》のなかにいっぱいになり、フラフラ・スキッパーは目が熱《あつ》くなりました。

森のなかをファンタスマルは進《すす》んでいきました。船はフラフラのさしずで一度左に舵《かじ》をとり、一度右に舵《かじ》をとりました。やがてつる草におおわれたくぼ地にでました。風がとまって帆《ほ》がたれさがり、船足《ふなあし》がとまると、波《なみ》うっていた地面《じめん》の動きがしだいにゆるやかになり、波《なみ》の音も消《き》え、ずっと昔《むかし》からここにつくられた船のように、ファンタスマルは動かない地面《じめん》に根《ね》をおろしていました。

「わたしの宝《たから》だ」

フラフラが静《しず》かにいうと、甲板《かんぱん》に集《あつ》まってきた一座《いちざ》のみんなはけげんそうに顔をみあわせました。

フラフラは甲板《かんぱん》の上から、下にひろがるつる草にむかって両手《りょうて》をひろげました。

「つる草よ、去《さ》れ!」

その声が消《き》えてしまわないうちに、あたり一面《いちめん》にひろがっていたつる草は、時間を逆《ぎゃく》にたどるように背《せ》が低《ひく》くなりはじめました。そしてくぼ地のまんなかに、たて長の石がみえはじめました。

「フルフルの墓《はか》だ」

ライターのつぶやき声がきこえました。つる草がすっかりなくなると、フラフラはもういちど両手《りょうて》をひろげました。

「花を！」

またたくまに、つる草のかわりにくぼ地は紫《むらさき》の小さな花でいっぱいになりました。

「フルフルの好《す》きだった紫《むらさき》……」

衣装係《いしょうがかり》がつぶやきました。

「わたしの宝《たから》、フルフル、約束《やくそく》のみんなの歌だ。さあ、きいてくれ」

二本の笛《ふえ》が軽快《けいかい》でふしぎなあの前奏《ぜんそう》をはじめると、全員《ぜんいん》が船《ふな》べりにならびました。

そして歌声がおこりました。

フラフラ・スキッパーの心に、フルフルが死ぬ前の三日間《みっかかん》のことが、きのうのことのように浮《う》かびあがりました。

あのころのようにみんなで歌えればいいわね、ベッドのフルフルは、やせて、よりいっそう大きくみえる目でフラフラをみあげていました。もういちど歌えるさ、きっと歌えるさ、フラフラはいいつづけていました。

さあ、フルフル、みんなの歌だ、いっしょに歌おう。心のなかでそうささやいたとき、スキッパーの目には、紫色《むらさきいろ》の花のなかにたっているフルフルがみえました。いっしょに歌うフルフルは、元気《げんき》だったときのままです。白い肌《はだ》、大きな黒い瞳《ひとみ》、赤い唇《くちびる》——。

フラフラ・スキッパーは船をおり、フルフルに近《ちか》づきました。一座《いちざ》のみんなも歌いながら船から紫《むらさき》の花のなかにおり、だきあっているフラフラとフルフルのまわりを囲《かこ》むようにたちました。

「海はふしぎに恋《こい》してる
ふしぎも海に恋《こい》してる」

「ほら、もういちど歌えただろう」

フラフラ・スキッパーは、フルフルのからだのやわらかさを感《かん》じながら耳もとに

ささやきました。

「そうしてくれるって思ってた」

フルフルの小さな声がスキッパーの耳もとできこえました。

「フルフル、ぼくの宝《たから》」

スキッパーがそういったとたん、にぶくかわいた音が、あたりをふるわせました。

はっとふりむいたみんなは、ファンタスマルがくずれおちていくところをみました。マストがゆっくりとそのままの形で沈《しず》みこんでいくようにくずれ、それにつれて帆《ほ》やロープがぼろぼろにちぎれていき、つづいて船尾《せんび》のほうから海にのみこまれるように地中《ちちゅう》に沈《しず》んでいきました。最後《さいご》にへさきが土のなかにのみこまれると、地《じ》面《めん》には草が姿《すがた》をあらわし、すこしもりあがった草地《くさち》にバスケットがひとつころがっているのがみえました。

気がつくとひとかたまりになっていたみんなのかたわらには赤い布《ぬの》がありました。もとの場所《ばしょ》だったのです。

スキッパーはそっとまわりをみました。フルフルの姿《すがた》はどこにもありませんでした。

だれかがふうっとためいきをつきました。

「その、つまり……」

トワイエさんがつぶやくようにいいかけて、あとがつづきませんでした。

スキッパーは、もうちゃんとどこからどこまでもスキッパーでした。が、だきしめていたフルフルのやわらかさはおぼえていましたし、フラフラののこした悲《かな》しさが、心の底《そこ》にあるのを感《かん》じても、いました。

◆◆

その場にいあわせた十人は、いまでもホーローのカップをひとつずつ、もっています。

こそあどの森の物語③
森のなかの海賊船

NDC913
A５判　22cm　208p
1995年7月 初版
ISBN4-652-00613-6

岡田 淳（おかだ・じゅん）
1947年兵庫県に生まれる。神戸大学教育学部美術科を卒業後、38年間小学校の図工教師をつとめる。
1979年『ムンジャクンジュは毛虫じゃない』で作家デビュー。
その後、『放課後の時間割』（1981年日本児童文学者協会新人賞）
『雨やどりはすべり台の下で』（1984年産経児童出版文化賞）
『学校ウサギをつかまえろ』（1987年日本児童文学者協会賞）
『扉のむこうの物語』（1988年赤い鳥文学賞）
『星モグラサンジの伝説』（1991年産経児童出版文化賞推薦）
『こそあどの森の物語』（１～３の３作品で1995年野間児童文芸賞、1998年国際アンデルセン賞オナーリスト選定）
『願いのかなうまがり角』（2013年産経児童出版文化賞フジテレビ賞）など数多くの受賞作を生みだしている。
他に『ようこそ、おまけの時間に』『二分間の冒険』『びりっかすの神さま』『選ばなかった冒険』『竜退治の騎士になる方法』『きかせたがりやの魔女』『森の石と空飛ぶ船』、絵本『ネコとクラリネットふき』『ヤマダさんの庭』、マンガ集『プロフェッサーPの研究室』『人類やりなおし装置』、エッセイ集『図工準備室の窓から』などがある。

作者　岡田 淳
発行者　鈴木博喜
発行所　株式会社 理論社
〒101-0062　東京都千代田区神田駿河台2-5
電話　営業 03-6264-8890
編集 03-6264-8891
URL　https://www.rironsha.com

2025年2月第37刷発行

装幀　はた こうしろう
編集　松田素子

岡田　淳の本

「こそあどの森の物語」

●野間児童文芸賞
●国際アンデルセン賞オナーリスト

～どこにあるかわからない“こそあどの森”は、すてきなひとたちが住むふしぎな森～

①ふしぎな木の実の料理法《りょうりほう》
スキッパーのもとに届いた固い固い“ポアポア”の実。その料理法は…。

②まよなかの魔女《まじょ》の秘密《ひみつ》
あらしのよく朝、スキッパーは森のおくで珍種のフクロウをつかまえました。

③森のなかの海賊船《かいぞくせん》
むかし、こそあどの森に海賊がいた？　かくされた宝の見つけかたは…。

④ユメミザクラの木の下で
スキッパーが森で会った友だちが、あそぶうちにいなくなってしまいました。

⑤ミュージカルスパイス
伝説の草カタカズラ。それをのんだ人はみな陽気に歌いはじめるのです…。

⑥はじまりの樹《き》の神話《しんわ》　●うつのみやこども賞
ふしぎなキツネに導かれ少女を助けたスキッパー。森に太古の時間がきます…。

⑦だれかののぞむもの
こそあどの人たちに、バーバさんから「フー」についての手紙が届きました。

⑧ぬまばあさんのうた
湖の対岸のなぞの光。確かめに行ったスキッパーとふたごが見つけたものは？

⑨あかりの木の魔法《まほう》
こそあどの湖に恐竜を探しにやって来た学者のイッカ。相棒はカワウソ…？

⑩霧《きり》の森となぞの声
ふしぎな歌声に導かれ森の奥へ。声にひきこまれ穴に落ちたスキッパー…。

⑪水の精《せい》とふしぎなカヌー
るすの部屋にだれかいる…？　川を流れて来た小さなカヌーの持ち主は…？

⑫水の森の秘密《ひみつ》
森じゅうが水びたしに…原因を調べに行ったスキッパーたちが会ったのは…？

Another Story

こそあどの森のおとなたちが子どもだったころ　●産経児童出版文化賞大賞
ポットさんたちが、子どものころの写真を見せながら語る、とっておきの話。

Other Stories

こそあどの森のないしょの時間
こそあどの森のひみつの場所
森のひとが胸の中に秘めている大切なできごと……それぞれのないしょの物語。

扉《とびら》のむこうの物語　●赤い鳥文学賞
学校の倉庫から行也が迷いこんだ世界は、空間も時間もねじれていました…。

星モグラ　サンジの伝説《でんせつ》　●産経児童出版文化賞推薦
人間のことばをしゃべるモグラが語る、空をとび水にもぐる英雄サンジの物語。